D1164367

Los sacramentos de la vida

Colección «ALCANCE»
1

Leonardo Boff

Los sacramentos de la vida

3ª Edición

Editorial Sal Terrae
Santander – 2015

Título del original portugués-brasileño:
Os Sacramentos da Vida
e a Vida dos Sacramentos

© Editora Vozes
Petrópolis, RJ

Traducción:
Juan Carlos Rodríguez Herranz

© 1977+2009 by Editorial Sal Terrae
Grupo de Comunicación Loyola
Polígono de Raos, Parcela 14-I
39600 Maliaño (Cantabria)-España
Tfno.: +34 942 369 198 / Fax: +34 942 369 201
salterrae@salterrae.es / www.salterrae.es

Diseño de cubierta:
María Pérez-Aguilera
mariap.aguilera@gmail.com

Con las debidas licencias
Impreso en España. Printed in Spain
ISBN: 978-84-293-1792-3
Dep. Legal: BI-2912-08

Impresión y encuadernación:
Grafo, S.A. – Basauri (Vizcaya)

Dedico este librito a la montaña que
   constantemente visita mi ventana.

A veces el sol la calcina. Otras la ahoga.

Con frecuencia la lluvia la castiga.

No es raro que la niebla la envuelva mansamente.

Nunca la oí quejarse por culpa del calor o del frío.

Jamás exigió nada por su majestuosa belleza.

Ni el agradecimiento.

Se da, simplemente. Gratuitamente.

No es menos majestuosa cuando el sol la acaricia
   que cuando el viento la azota.

No se preocupa de que la vean.

Ni se enfada si la pisan.

Es como Dios: todo lo soporta; todo lo sufre;
   todo lo acoge. Dios se comporta como ella.

Por eso, la montaña es un sacramento de Dios:
   revela, recuerda, alude, remite.

Por ser ella así, le dedico, agradecido, este librito.

En él se intenta hablar el lenguaje sacramental,
   que ella no habla,
pero que (lo cual es mucho más importante) ella
   misma lo es.

ÍNDICE

PRESENTACIÓN DE ESTA NUEVA EDICIÓN EN ESPAÑOL

EL RESCATE DEL UNIVERSO SACRAMENTAL

EL mundo moderno se caracteriza por la voluntad de dominación de la naturaleza. Ve la Tierra tan sólo como un baúl lleno de recursos que podemos explotar de forma ilimitada.

Siente el mundo como hostil; por eso lo agrede de todas las formas posibles. La consecuencia de esta práctica cultural es que el ser humano perdió el encantamiento y el sentido de pertenencia a la naturaleza y al universo. Ya no contempla la Tierra como Gran Madre y Hogar Común, como lo hacía la entera humanidad hasta el advenimiento de la civilización industrial.

Se hizo sordo a las voces de los árboles, a la música del viento, al rumor de los arroyos, al canto de los pájaros, y ciego a la majestuosidad de las montañas y la belleza irradiante de la propia Tierra contemplada desde el espacio exterior por los astronautas. Todos sufrimos una especie de lobotomía que nos hace insensibles al grito de la Tierra.

Pero cuando rescata la razón cordial y sensible, cuando asume la nueva cosmología que nos habla de la Tierra como algo viviente, Gaia, y del ser humano como la porción de la Tierra que siente, piensa, ama y cuida, cuando se siente un miembro de la vasta comunidad de vida, entonces el ser humano se percibe en conexión con todas las cosas y en profunda comunión con el cielo estrellado y el universo entero. Percibe con el corazón que las cosas no son independientes unas de otras, sino que todas ellas están ligadas y religadas entre sí, y que una Energía poderosa las sostiene en su movimiento y armonía. Su vida se llena de mensajes, y todo puede transformarse en símbolo y en sacramento de esa Fuerza trascendente. Su verdadero nombre es «Dios», la Fuente originaria de todo ser.

Así renacen los sacramentos naturales, que nos abren a la comprensión de los sacramentos cristianos.

El mundo se reencanta, y ya no nos sentimos perdidos en un universo vacío. Somos constantemente visitados por mil señales que nos hablan del amor, la belleza y la compasión de Dios. Volvemos a ser hombres sacramentales.

LEONARDO BOFF
Petrópolis, Rio, 20 de noviembre de 2008.

1

Puerta de acceso al edificio sacramental

1.1. Cuando las cosas comienzan a hablar...

Este librito sólo puede ser entendido por aquellos espíritus que, inmersos en el mundo técnico-científico de la modernidad, viven de otro espíritu que les permite ver más allá de cualquier paisaje y alcanzar siempre más allá de cualquier horizonte. Este espíritu vive hoy en los manantiales de nuestra experiencia cultural. Es como un río subterráneo que alimenta las fuentes, y éstas a los ríos de superficie. No lo vemos, pero es lo más importante, porque hominiza las cosas y humaniza nuestras relaciones con ellas. Detecta el sentido secreto en ellas inscrito.

El hombre no es sólo manipulador de su mundo. Es también alguien capaz de leer el mensaje que el mundo lleva en sí. Ese mensaje está escrito en todas las cosas que componen el mundo. Los semiólogos, antiguos y modernos, percibieron muy bien que las cosas, además de cosas, constituyen un sistema de signos. Son sílabas de un gran alfabeto. Y el alfabeto está al servicio de un mensaje inscrito en las cosas, mensaje que puede ser descrito y descifrado por quien tenga los ojos abiertos.

El hombre es el ser capaz de leer el mensaje del mundo. Nunca es analfabeto. Es siempre el que, en la multiplicidad de lenguajes, puede leer e interpretar. Vivir es leer e interpretar. En lo efímero puede leer lo permanente; en lo temporal, lo eterno; en el mundo, a Dios. Y entonces lo efímero se transfigura en señal de la presencia de lo permanente; lo temporal, en símbolo de la realidad de lo eterno; el mundo, en el gran sacramento de Dios. Cuando las cosas comienzan a hablar y el hombre a escuchar sus voces, entonces emerge el edificio sacramental. En su frontispicio está escrito: «Todo lo real no es sino una señal». ¿Señal de qué? De otra realidad, realidad fundante de todas las cosas, de Dios.

1.2. El hombre moderno es también sacramental

No creemos que el hombre moderno haya perdido el sentido de lo simbólico y de lo sacramental. También él es hombre, como otros pertenecientes a otras etapas culturales; en consecuencia, es también productor de símbolos expresivos de su interioridad y capaz de descifrar el sentido simbólico del mundo. Quizá se haya quedado ciego y sordo a un cierto tipo de símbolos y ritos sacramentales que se han esclerotizado o vuelto anacrónicos. La culpa, en ese caso, es de los ritos y no del hombre moderno. No podemos ocultar el hecho de que en el universo sacramental cristiano se ha operado un proceso de momificación ritual. Los ritos actuales hablan poco por sí mismos. Necesitan ser explicados. Y una señal que tiene que ser explicada no es señal. Lo que precisa de explicación no es la señal, sino el Misterio contenido en la señal. A causa de esta momificación ritual, el hombre moderno, secularizado, sospecha del universo sacramental cristiano. Puede verse tentado a cortar toda relación con lo simbólico religioso. Pero, al hacer eso, no sólo corta con una riqueza importante de la religión, sino que a la vez cierra las ventanas de su propia alma, porque lo simbólico y lo sacramental constituyen dimensiones profundas de la realidad humana.

1.3. El sacramento, juego entre el hombre, el mundo y Dios

Fenomenólogos y antropólogos han descrito minuciosamente el juego del hombre con el mundo. Éste se produce en tres niveles sucesivos. En un primer nivel, el hombre siente extrañamiento. Las cosas le producen admiración y hasta temor. Las estudia por todos los lados. Va sustituyendo sorpresas por certezas. El segundo nivel supone el término de este proceso y es la domesticación. El hombre consigue interpretar y, de ese modo, dominar lo que le causaba el extrañamiento. La ciencia se sitúa en este nivel: encuadra los fenómenos dentro de un sistema coherente, con objeto de domesticarlos. Finalmente, el hombre se habitúa a los objetos, que forman parte del paisaje humano. En el entretanto, ese juego ha modificado tanto al hombre como a los objetos. Éstos ya no son meros objetos; se convierten en señales y símbolos del encuentro, del esfuerzo, de la conquista, de la interioridad humana. Los objetos domesticados comienzan a hablar y a contar la historia del juego con el hombre. Se transfiguran en sacramentos. El mundo humano, aun el material y técnico, nunca es sólo material y técnico; es simbólico y cargado de sentido. Quienes saben esto perfectamente son los conductores de masas a través de los medios de comunicación social. Lo que dirige a los hombres no son tanto las ideologías cuanto los símbolos y mitos activados a partir del inconsciente colectivo. La propaganda comercial en la televisión presenta el cigarrillo LS. Quien fume cigarrillos de esa marca formará parte de los «dioses»: hombres guapos, ricos, que viven en mansiones maravillosas, con mujeres deslumbrantes, increíblemente afortunados en el amor y en cuya vida no existe conflicto alguno. Toda esa escenificación es ritual y simbólica. Son los sacramentos profanos y profanizadores que intentan evocar la participación en una realidad onírica y perfecta y dar la sensación de haber transcendido ya este difícil y conflictivo mundo.

El hombre posee esta cualidad extraordinaria: la de poder hacer de un objeto un símbolo, y de una acción un rito. Pongamos un ejemplo: el de tomar el mate en la calabaza. Cuando alguien nos visita, en el sur del Brasil, le ofrecemos inmediatamente una calabaza con mate caliente. Nos sentamos cómodamente al fresco, tomamos de la misma calabaza y sorbemos por la misma caña. Se toma, no porque se tenga sed o por el gusto del sabor amargo, ni porque éste «hace milagros y libra a la gente de cualquier indigestión». La acción cobra otro sentido. Es una acción ritual para celebrar el encuentro y saborear la amistad. El centro de atención no está en el mate, sino en la persona. El mate desempeña una función sacramental.

Pablo, en 1 Corintios 11,20-22, lo captó perfectamente: algunos vienen a la cena eucarística sólo para matar el hambre y saciar la sed. Ésos pierden el sentido del sacramento. Celebramos la cena eucarística, no para matar el hambre, sino para festejar y hacer presente la cena del Señor. La acción de comer para matar el hambre y la de celebrar la última cena son una misma y única acción. Pero en uno y en otro caso el sentido es diferente. La acción cotidiana de comer es portadora de una significación diferente y simbólica. Esa acción constituye el sacramento.

El sacramento posee, por tanto, un profundo enraizamiento antropológico. Cortarlo sería cortar la misma raíz de la vida y desbaratar el juego del hombre con el mundo.

El cristianismo se comprende a sí mismo, ante todo, no como un sistema arquitectónico de verdades salvíficas, sino como la comunicación de la Vida divina dentro del mundo. El mundo, las cosas y los hombres son penetrados por la savia generosa de Dios. Las cosas son portadoras de salvación y de un Misterio. Por eso son sacramentales. La reticencia del cristiano contra el materialismo marxista procede, en gran parte, de esta comprensión diversa de la materia. Ésta no es sólo objeto de la manipulación y de la posesión del hombre. Es portadora de Dios y lugar del encuentro de salvación. La materia es sacramental.

Esta sacramentalidad universal alcanzó su máxima densidad en Jesucristo, Sacramento Primordial de Dios. Con su ascensión y desaparición a los ojos humanos, la densidad sacramental de Cristo pasó a la Iglesia, que es el Sacramento de Cristo prolongado a lo largo del tiempo. El sacramento universal que es la Iglesia se concretiza en las diversas situaciones de la vida y fundamenta la estructura sacramental, centrada especialmente en los siete sacramentos. Conviene, con todo, observar que los siete sacramentos no agotan toda la riqueza sacramental de la Iglesia. Todo cuanto ella hace posee una densidad sacramental, pues ella es fundamentalmente sacramento. Del mismo modo, la gracia no queda supeditada a los siete signos mayores de la fe. Nos alcanza bajo otros signos sacramentales: puede ser la palabra de un amigo, un artículo de prensa, un mensaje perdido en el espacio, una mirada suplicante, un gesto de reconciliación, un reto proveniente de la pobreza o de la opresión... Todo puede ser vehículo sacramental de la gracia divina. Poder detectar y acoger así la salvación bajo signos tan concretos es obra y tarea de la fe madura. El cristiano actual debería ser educado para percibir el sacramento más allá de los estrechos lí-

mites de los siete sacramentos. Debería saber,
como adulto, elaborar ritos que significasen y
celebrasen la irrupción de la gracia en su vida y
en su comunidad. Una de las metas de nuestro
ensayo es, justamente, provocar a ello.

1.4. La narrativa:
el lenguaje del sacramento

Si el sacramento profano o sagrado surge del
juego del hombre con el mundo y con Dios, entonces la estructura de su lenguaje no es argu-
mentativa, sino narrativa. No argumenta ni
quiere persuadir. Quiere celebrar y narrar la
historia del encuentro del hombre con los objetos, las situaciones y los otros hombres, por los
que fue provocado a trascender y que le evoca-
ron una realidad superior que se hizo presente
gracias a ellos, convocándolo al encuentro sacramental con Dios.

Durante siglos, la teología fue argumentati-
va. Quería hablar a la inteligencia de los hombres y convencerlos de la verdad religiosa. Sus
éxitos fueron exiguos. Generalmente, conven-
cían sólo a los ya convencidos. Se había elabo-
rado en la ilusión de que Dios, su designio salvífico, el futuro prometido al hombre, el misterio del hombre-Dios Jesucristo... podían ser
aceptados intelectualmente, sin antes haber si-

do acogidos en la vida y haber transformado el corazón. Se había olvidado, al menos en el nivel de la teología de los manuales y en el discurso apologético, el hecho de que la verdad religiosa jamás es una fórmula abstracta ni el término de un raciocinio lógico. En primer lugar, y fundamentalmente, es una experiencia vital, un encuentro con el sentido definitivo. Solamente después, en el esfuerzo de la articulación cultural, se traduce en una fórmula y queda explicitado el momento racional que contiene.

El sacramento, como se verá a lo largo de nuestras reflexiones, queda esencialmente vertebrado en términos de encuentro. En la raíz del sacramento está siempre una historia que comienza: «Érase una vez... un vaso... un pedazo de pan... una colilla... un hombre-Dios llamado Jesús... una cena que Él celebró... un gesto de perdón que realizó»... Por eso, tal como enseñan los semiólogos del discurso teológico, el lenguaje de la religión y del sacramento casi nunca es descriptivo; es principalmente evocativo. Narra un hecho, refiere un milagro, describe una irrupción reveladora de Dios... para evocar en el hombre la realidad divina, el comportamiento de Dios, la promesa de salvación. Eso es lo que interesa primordialmente. Un ejemplo: me hallo ante una montaña. Puedo describir la montaña, su historia milenaria, su composición físico-química. Con ello estoy movién-

dome en el plano científico. Pero más allá de
esa dimensión verdadera existe otra. La montaña me evoca la grandeza, la majestad, lo imponente, la solidez, la eternidad... Evoca a Dios,
que fue llamado Roca. La roca está al servicio
de la solidez, de lo imponente, de la majestad y
de la grandeza; se hace sacramento de esos valores; los evoca. El lenguaje religioso se sitúa
principalmente en este horizonte de evocación.
El sacramento es, por esencia, evocación de un
pasado y de un futuro, vividos en un presente.

El lenguaje religioso y sacramental es au-
to-implicativo. Porque apenas si es descriptivo, sino ante todo evocativo, implica siempre
a la persona con las cosas. No deja a nadie neu-
tro. Lo toca por dentro; establece un encuentro que modifica al hombre y su mundo. En
su libro *Recuerdos de la Casa de los Muertos,*
Dostoyevski cuenta su liberación. Al abando-
nar la Casa de los Muertos, contempla los hie-
rros que encadenaban sus piernas; son deshe-
chos a martillazos; contempla los fragmentos
por tierra, fragmentos que le dan el gusto de la
libertad. Antes de salir, visita y se despide de
las empalizadas, de las casamatas inmundas.
Habían llegado a ser familiares y fraternas, allí
habla dejado parte de su vida, y en aquel momento formaban ya parte de ésta. Se sentía im-
plicado en todo aquello, porque las cosas ya
no eran cosas; eran sacramentos que evocaban

el sufrimiento, las largas vigilias, el ansia de libertad.

El lenguaje religioso y sacramental es, finalmente, formativo, es decir, lleva a modificar la praxis humana. Induce a la conversión. Apela a una apertura y una acogida consecuentes en la vida.

Nuestro ensayo intenta articular el lenguaje narrativo en su dimensión de evocación, autoevocación y formatividad, aplicada al universo sacramental. Nuestro esfuerzo se orienta hacia la recuperación de la riqueza religiosa contenida en el universo simbólico y sacramental que puebla nuestra vida cotidiana*. Los sacramentos no son propiedad privada de la sagrada jerarquía. Son constitutivos de la vida humana. La fe percibe la gracia presente en los gestos más rudimentarios de la vida; por eso los ritualiza y los eleva al nivel de sacramento.

---

* Este texto forma parte de una trilogía. En el primer tomo («Minima Sacramentalia») abordaremos, en lenguaje narrativo, la estructura y la lógica del pensamiento sacramental que subyace a los sacramentos considerados individualmente. En el segundo («Maiora Sacramentalia») volveremos al material anterior y lo trataremos científicamente en el diálogo interdisciplinar: ¿qué es, con exactitud, el pensamiento sacramental y cómo se justifica frente al espíritu científico-técnico y la secularización que configuran nuestra época? Por fin, en un tercer tomo («Practica Sacramentalia»), pretendemos hacer un comentario antropológico-teológico de los actuales ritos sacramentales, con la intención pastoral de ayudar a quienes los administran.

Nuestra intención, con este ensayo, es despertar la dimensión sacramental dormida o profanizada en nuestra vida. Una vez despiertos, podremos celebrar la presencia misteriosa y concreta de la gracia que habita nuestro mundo. Dios estaba siempre presente, aun antes de que nos hubiésemos despertado; pero ahora que despertamos podemos ver cómo el mundo es sacramento de Dios. Quien haya entendido los sacramentos de la vida está muy cerca, o mejor, está dentro ya de la Vida de los sacramentos.

2

EL SACRAMENTO DEL VASO

Existe un vaso, un «tanque» de aluminio. De aquel antiguo, bueno y brillante. El mango está roto, pero le confiere un aire de antigüedad. En él bebieron los once hijos, de pequeños a grandes. Acompañó a la familia en sus muchas mudanzas: del campo a la villa; de la villa a la ciudad; de la ciudad a la metrópolis. Hubo nacimientos. Hubo muertes. Él participó en todo; vino siempre al lado. Es la continuidad del misterio de la vida en la diferencia de situaciones vitales y mortales. Él y ella permanecen. Está siempre brillante y antiguo. Creo que, cuando entró en casa, ya debía de ser viejo, con esa vejez que es juventud, porque genera y da vida. Es la pieza central de la cocina.

Cada vez que se bebe de él, no se bebe agua, sino la frescura, la dulzura, la familiaridad, la historia familiar, la reminiscencia del ni-

ño ansioso que se sacia tras la sed. Puede tratar-
se de cualquier agua. En este tanque siempre
será fresca y buena. En casa, todos los que
quieren matar la sed beben por él y, como en un
rito, exclaman: «¡Qué bien se bebe por este tanque! ¡Qué buena es el agua de aquí!». Y en realidad se trata del agua que, según los periódi-
cos, es tan maltratada. Llega del río inmundo de
la ciudad, llena de cloro. Pero, gracias al tanque, el agua se vuelve buena, saludable, fresca
y dulce.

Un hijo regresa. Recorrió el mundo. Estudió. Llega, besa a la madre, abraza a los hermanos. Se matan añoranzas sufridas. Las palabras
son pocas. Las miradas, largas y minuciosas:
hay que beber al otro antes de amarlo; los ojos
que beben hablan el lenguaje del corazón. Sólo
tras haber mirado, la boca habla de las superfi-
cialidades: «¡Qué gordo estás! ¡Sigues igual de
guapo! ¡Qué mayor te has hecho!»... La mirada
no dice nada de eso; habla lo inefable del amor.
Sólo la luz entiende. «Madre, tengo sed, quiero
beber del tanque viejo».

Y el hijo ha bebido de tantas aguas... «El
acqua de San Pellegrino». Las aguas de Alemania, de Inglaterra, de Francia. La buena agua
de Grecia. Aguas de las fuentes cristalinas de
los Alpes, del Tirol, de las fuentes romanas. El
agua de San Francisco. Agua de Ouro-Fino, de
Teresópolis, de Petrópolis. ¡Tantas aguas...! Pe-

ro ninguna es como ésta. Se bebe un vaso. Y no
para matar la sed corporal. Ésa la matan todas
las demás aguas. Pero la sed del arquetipo familiar, la sed de los penates paternos, la sed fraterna, arqueológica, de las raíces de donde llega la savia de la vida humana..., esa sed sólo la
puede matar el tanque. Se bebe un primer vaso.
Apresuradamente. Termina con un largo suspi-
ro, como de quien se hundió y sale a la superficie. Después se bebe otro. Lentamente. Es para
degustar el misterio que contiene y significa ese
vaso.

¿Por qué el agua del tanque es buena y dulce, saludable y fresca? Porque el tanque es un
sacramento. El tanque-sacramento confiere al
agua bondad, dulzura, frescor y salud.

2.1. ¿Qué es un sacramento?

Hoy, mucha gente ya no sabe qué es un sacramento. Los antiguos lo sabían. A mí me costó
aprenderlo. Durante cinco años estudié, durante muchas horas al día, todo lo que se escribió
sobre el sacramento en lenguas cristianas, desde la Biblia hasta hoy. Fue una batalla del espíritu. De ello resultaron 552 páginas impresas y
publicadas en forma de libro. Pero ése no fue el
resultado principal. Después de tanto esfuerzo,
rabia, alegría, maldición y bendición, descubrí

lo que siempre había estado descubierto. Capté lo clamorosamente obvio. El sacramento era aquello que siempre había vivido y todos viven, pero que no sabía y pocos saben.

Volví a contemplar el paisaje que había tenido siempre ante mis ojos. Lo cotidiano está lleno de sacramentos. En la arqueología de lo cotidiano crecen los sacramentos vivos, vividos y verdaderos. Es el vaso de mi familia; la polenta que hacía mi madre; la última colilla del cigarrillo de picadura dejado por mi padre con todo cariño; la vieja mesa de trabajo; una gruesa vela de Navidad; el jarrón con las flores encima de la mesa; aquel paraje de la montaña; el viejo camino pedregoso; la antigua casa paterna; etc. Esas cosas dejaron de ser cosas. Se convirtieron en gente. Hablan. Podemos oír su voz y su mensaje. Poseen un interior y un corazón. Se han convertido en sacramentos. En otras palabras: son señales que contienen, exhiben, rememoran, visualizan y comunican otra realidad diversa de ellas, pero presente en ellas.

La época moderna vive entre sacramentos, pero no posee la apertura ocular capaz de visualizarlos reflejamente. Porque ve las cosas como cosas. Las contempla desde fuera. Quien las vea por dentro percibirá en ellas una grieta por la que penetra una luz superior. La luz ilumina las cosas, las hace transparentes y diáfanas. Ilustremos esto con el sacramento del vaso.

2.2. El vaso visto por fuera: aspecto científico

El vaso antes descrito puede ser contemplado desde fuera. Es un vaso como todos los demás, probablemente más feo, envejecido y no funcional. Es de aluminio. Al físico le interesa en cuanto que analiza los componentes físicos del aluminio. El economista puede aportar una serie de informaciones sobre los precios del aluminio, su extracción, su producción, su comercialización... El historiador (si se tratase de un recipiente del tiempo de Augusto) podría ocuparse de él y estudiarlo en el espacio y en el tiempo. El artista puede considerarlo un objeto carente de cualquier valor estético. Los museos no irán a buscarlo, porque no significa nada. Todos contemplan ese tanque como una cosa. Típico de nuestra experiencia epocal, especialmente a partir del siglo XV, es considerar todo como cosas sobre las que podemos inclinarnos para analizar lo que podemos ver. De todo hacemos un objeto (*ob-iectum*) de estudio y de ciencia: Dios, el hombre, la historia, la naturaleza. Lo situamos (*iectum*) frente a nosotros (*ob*) y planteamos nuestro punto de mira escrutador. Podemos hacer muchas ciencias sobre un mismo objeto. Porque resulta interesante desde muchos puntos de vista científicos. De ahí que digamos hoy que sabemos cada vez más sobre cada vez menos.

El tanque, así analizado, es un objeto más entre otros tantos objetos. No creó historia con nadie ni entró en la vida de nadie.

2.3. El vaso visto por dentro: aspecto sacramental

Pero puede darse el caso de que alguien haya conseguido un vaso. Ese vaso salvó a alguien de la sed ardiente de un desierto sin fin. O, como en mi caso, ese vaso entró en la historia de mi vida y de mi familia. Entonces es único en el mundo: no hay ninguno igual a él. Dejó de ser ob-jeto y se convirtió en sujeto (*subiectum*). Posee, como todos los sujetos, una historia que puede ser contada y recordada. Se dio un tipo de relación profunda con el vaso-cosa. Ese tipo de relación de amor hizo surgir en nosotros un punto de mira que nos permite apreciar un valor inestimable existente en el vaso. Por eso cobra un nombre. Se inscribe dentro del mundo del hombre y comienza a hablar. El vaso habla de la infancia y de las sedes saciadas por él; habla del agua buscada en el pozo distante, a 600 metros de casa, pozo profundo de agua virgen, pero que nos hacía sufrir y echar pestes en las mañanas de invierno o en las tardes lluviosas, y que por ello convertía el agua en algo tanto más preciado y casto.

El vaso habla de la historia de la familia a la que siempre acompañó en la vida y en la muerte. Fue entrando cada vez más en la familia. Al final era un hijo más, rodeado de cariño. Y hoy sigue ahí todavía, hablando y recordando en la fidelidad y en la humildad de servir ese agua que se volvió dulce, fresca y buena gracias a él... Ésta es la visión interior de ese tanque. Fue la relación interna tenida con él la que lo convirtió en un sacramento familiar.

Al contemplar una cosa desde fuera, me encuentro con ella, me inclino sobre ella, la manipulo, la transformo... y dejo que la cosa se quede en mera cosa, objeto del uso y el abuso humanos. Es el pensar científico de nuestra era moderna. No es malo. Casi no es diferenciado. ¿Y cómo podríamos ser enemigos de nuestro propio mundo, que con ese planteamiento científico nos agranda y facilita la vida, nos prolonga la acción de los brazos, de las piernas, de los ojos... con instrumentos portentosos, haciéndonos cada vez más señores de la naturaleza? Pero ¿el hombre es sólo eso? ¿No es más que un robot de acciones, un computador de informaciones y una lente micro y macroscópica orientada hacia el mundo? ¿O es aquel que se puede relacionar humanamente con las cosas, aquel que puede ver valores y detectar un sentido en las cosas?

Contemplando una cosa desde dentro, no me concentro en ella, sino en el valor y el sentido que ella asume para mí. Deja de ser cosa para transformarse en un símbolo y en una señal que me e-voca, pro-voca y con-voca hacia situaciones, reminiscencias y hacia el sentido que ella encarna y expresa. Sacramento significa, justamente, esa realidad del mundo que, sin dejar el mundo, habla de otro mundo: el mundo humano de las vivencias profundas, de los valores incuestionables y del sentido plenificador de la vida. Comprender esta forma de pensar es abrirse a la acogida de los sacramentos de la fe. Ellos radicalizan los sacramentos naturales entre los que vivimos en nuestra permanente cotidianeidad.

El sacramento modifica el mundo: el agua puede ser cualquier agua. Pero desde que fue servida y bebida en el vaso-sacramento, para quien entienda y viva la visión interior de las cosas, es dulce, saludable, fresca y buena. Comunica vida. Habla del misterio que habita en las cosas.

El tanque de aluminio descansa allá en la cocina, en su tranquila dignidad, entre tantos objetos y cosas domésticas. Es viejo. Pero sólo él conserva la perenne juventud de la vida. Porque sólo él está vivo entre cosas muertas. Sólo él es sujeto entre tantos objetos. Sólo él habla entre tantas cosas mudas. Sólo él es sacramento, en la humildad de una cocina familiar.

3

EL SACRAMENTO
DE LA COLILLA

En el fondo del cajón se esconde un pequeño tesoro: una cajita de cristal con una pequeña colilla; de picadura y de humo amarillento, como las que se suelen fumar en el Sur del Brasil. Hasta aquí, nada nuevo. Sin embargo, esa insignificante colilla tiene una historia única. Habla al corazón. Posee un valor evocador de infinita añoranza.

Fue el día 11 de agosto de 1965. Munich, en Alemania. Lo recuerdo muy bien: Allá afuera, las casas aplauden al sol vigoroso del verano europeo; flores multicolores explotan en los parques y se asoman sonrientes a las ventanas. Son las dos de la tarde. El cartero me trae la primera carta de la patria. Llega cargada de nostalgia abandonada por el camino recorrido. La abro ansiosamente. Escribieron todos los de ca-

sa; parece casi un periódico. Flota un misterio:
«Estarás ya en Munich cuando leas estas líneas. Igual a todas las otras, esta carta es, sin embargo, diversa de las demás y te trae una hermosa noticia, una noticia que, contemplada
desde el ángulo de la fe, es en verdad motivo de
alborozo. Dios exigió de nosotros, hace pocos
días, un tributo de amor, de fe y de embargado
agradecimiento. Descendió al seno de nuestra
familia, nos miró uno a uno... y escogió para sí
al más perfecto, al más santo, al más duro, al
mejor de todos, el más próximo a él, nuestro
querido papá. Dios no se lo llevó de entre nosotros, sino que lo dejó todavía más entre nosotros. Dios no se llevó a papá sólo para sí, sino
que lo dejó aún más para nosotros. No arrancó
a papá de la alegría de nuestras fiestas, sino que
lo plantó más a fondo en la memoria de todos
nosotros. No lo hurtó de nuestra presencia, sino
que lo hizo más presente. No lo llevó, lo dejó.
Papá no partió, sino que llegó. Papá no se fue,
sino que vino para ser aún más padre, para hacerse presente ahora y siempre, aquí en Brasil
con todos nosotros, contigo en Alemania, con
Ruy y Clodovis en Lovaina y con Waldemar en
Estados Unidos».

Y la carta proseguía con el testimonio de
cada hermano, testimonio en el que la muerte,
instaurada en el corazón de la vida de un hombre de 54 años, era celebrada como hermana y

como la fiesta de la comunión que unía a la familia dispersa en tres países diversos. De la turbulencia de las lágrimas brotaba una serenidad profunda. La fe ilumina y exorciza el absurdo de la muerte. Ella es el «*vere dies natalis*» del hombre. Por eso, en las catacumbas del viejo convento, en presencia de tantos vivos del pasado, desde Guillermo de Ockham hasta el humilde enfermero que pocos días antes acababa de nacer para Dios, celebré durante tres días consecutivos la misa santa de Navidad por aquel que allá lejos, en la patria, ya había celebrado su Navidad definitiva. ¡Y qué extraña profundidad adquirían aquellos antiguos textos de la fe: «*Puer natus est nobis...*»!

Al día siguiente, en el sobre que me anunciaba la muerte, percibí una señal de vida del que nos había dado la vida en todos los sentidos y que me había pasado desapercibido: una colilla amarillenta de un cigarrillo de picadura. Era el último que había fumado momentos antes de que un infarto de miocardio lo hubiera liberado definitivamente de esta cansada existencia. La intuición profundamente femenina y sacramental de una hermana la movió a introducir esta colilla de cigarrillo en el sobre.

De ahora en adelante, la colilla ya no es una colilla de cigarrillo. Es un sacramento. Está vivo y habla de la vida. Acompaña a la vida. Su color típico, su fuerte olor y lo quemado de su

punta lo mantienen aún encendido en nuestra
vida. Por eso es de un valor inestimable. Pertenece al corazón de la vida y a la vida del corazón. Recuerda y hace presente la figura del padre, que ahora ya se convirtió, con el paso de
los años, en un arquetipo familiar y en un mar-
co de referencia de los valores fundamentales
de todos los hermanos. «De su boca oímos, de
su vida aprendimos, que quien no vive para servir no sirve para vivir». Es la advertencia que
colocamos para todos nosotros en la lápida de
su tumba.

3.1. ¿Qué es, además, un sacramento?

Siempre que una realidad del mundo, sin aban-
donar el mundo, evoca otra realidad diversa de
ella, asume una función sacramental. Deja de
ser cosa para convertirse en señal o símbolo.
Toda señal es señal de algo o de algún valor para alguien. Como cosa, puede ser absolutamente irrelevante. Como señal, puede adquirir una
valoración inestimable y preciosa. Así, la colilla del cigarrillo de picadura, que, en cuanto cosa, se tira a la basura, pero, en cuanto símbolo,
se guarda como tesoro inapreciable.

  ¿Qué es lo que hace que algo sea un sacramento? Ya hicimos la reflexión, al describir el
sacramento del vaso, de que la visión humana

interior de las cosas las transmuta en sacramentos. Es la convivencia con las cosas la que las crea y recrea simbólicamente. Es el tiempo perdido con ellas, es el cautivarlas, es el insertarlas dentro de nuestras experiencias, lo que las humaniza y les hace hablar la lengua de los seres humanos. Los sacramentos revelan un modo típico de pensar del hombre. Existe un verdadero pensamiento sacramental, como existe un pensamiento científico. En el pensamiento sacramental, en un primer momento, todo es contemplado «*sub specie humanitatis*».

Todo revela el hombre: sus experiencias, bien o mal acontecidas, y finalmente su encuentro con las múltiples manifestaciones del mundo. En ese encuentro, el hombre no aborda el mundo de forma neutra. Juzga. Descubre valores. Se abre o se cierra a las evocaciones que le provoca. Interpreta. La convivencia con el mundo le da elementos para que construya su morada. Su habitación es la porción del mundo domesticada, en la que cada cosa tiene su nombre y ocupa su lugar. En la habitación, las cosas no están puestas al azar. Participan del orden humano. Se vuelven familiares. Revelan lo que es y cómo es el hombre. Hablan y retratan al que en ella habita.

Cuanto más profundamente se relaciona el hombre con el mundo y con las cosas de su mundo, tanto más se manifiesta la sacramentalidad. Surge entonces la patria, que es algo más que la extensión geográfica del país; aparece entonces el terruño que nos vio nacer y que es más que el pedazo de tierra del Estado; surge entonces la ciudad natal, que es más que la suma de sus casas y sus habitantes; emerge entonces la casa paterna, que es más que un edificio de piedra. En todo esto habitan valores, moran espíritus buenos y malos y se delinea el paisaje humano. El pensamiento sacramental hace que los caminos que recorremos, las montañas que divisamos, los ríos que bañan nuestras costas, las casas que habitan nuestros vecinos, las personas que crean nuestra convivencia... no sean simplemente personas, casas, ríos, montañas y caminos como otros cualquiera del mundo entero. Son únicos e inigualables. Son una parte de nosotros mismos. Por eso nos alegramos y sufrimos con su destino. Lamentamos el derribo de la enorme mole de la plaza. Lloramos con la demolición del viejo barracón. Con ellos muere algo de nosotros mismos. Es porque ya no son meras cosas. Son sacramentos de nuestra vida bendecida o maldita.

3.2. Dimensiones de la sacramentalidad

Todo es o puede volverse sacramento. Depende del hombre y de su modo de ver. Si ve humanamente, relacionándose, dejando que el mundo penetre dentro de él y se convierta en su mundo, en la misma medida el mundo revela su sacramentalidad. El hombre, decían los clásicos, es de algún modo todas las cosas. Si esto es verdad, entonces será también verdad que todo se le puede convertir en sacramento, con tal de que él se abra a todas las cosas y las acoja en su morada. ¿No será que eso –el humanizarlo, el hacer de él su morada y sacarlo de su profunda capacidad–constituye la vocación esencial del hombre frente al mundo? ¿No será tal vez la visión sacramental el camino hacia esa vocación? Todo el mundo, y no sólo una parte de él, será su patria amiga y familiar, en la que mora la fraternidad y está vigente la tranquilidad del orden de todas las cosas.

¿Quién iba a decir que una colilla de cigarrillo de picadura podría convertirse en sacramento? Está allí, en el fondo del cajón. De vez en cuando, se abre la cajita de cristal. Exhala un perfume. Se cubre con el color de un pasado vivo. El cajón no contiene la grandeza de la presencia que se crea. Los ojos de la mente ven, viva, la figura paterna, presentizada en la colilla del cigarrillo de picadura; lo ven cortándola,

liando el cigarrillo, encendiendo el mechero,
aspirando largamente, exhalando, leyendo el
periódico, quemando las camisas con las bra-
sas, adentrándose en la noche en su penoso trabajo de escritorio, fumando..., fumando... El último cigarrillo se apagó junto con su vida mortal. Algo, sin embargo, sigue todavía encendido. Gracias al sacramento.

4

EL SACRAMENTO DEL PAN

De vez en cuando se cuece pan en casa. Un hecho semejante no deja de ser extraño. ¡En una gran ciudad, con tantas panaderías, en un piso, alguien se concede el lujo (o el trabajo) de hacer el pan! No es una necesidad, ni es un pan para matar el hambre. Hacer el pan obedece a un rito antiguo, surge de una necesidad más fundamental que la de matar el hambre. Se repite un gesto arquetípico. El hombre primitivo repetía algunos gestos, gestos primordiales con los que se sentía unido al origen de las cosas y al sentido latente del cosmos. Lo mismo ocurre aquí: se repite un gesto pleno de sentido humano que va más allá de las necesidades inmediatas.

Ahora el pan se cuece en la estrechez del horno de una cocina de gas. Ya no es como antes, en un enorme horno de ladrillos. El pan se amasa con la mano; largo tiempo. Las cosas no se amasan sin dolor. Una vez cocido, se reparte entre los muchos hermanos que ahora ya están fuera y tienen sus familias y sus hijos. Todos hallan el pan sabroso. «¡Es el pan de mamá!». Hay en él algo de especial que no se encuentra en el pan anónimo, sin historia, comprado en la panadería del portugués de al lado o en el supermercado del centro.

¿Qué es ese algo que hay en el pan? ¿Por qué se reparte el pan entre los miembros de la familia? Es porque ese pan es un pan sacramental. Está hecho de harina de trigo, con todos los ingredientes de cualquier pan. Y, sin embargo, es diferente. Diferente, porque sólo él evoca otra realidad humana que se hace presente en ese pan hecho por la madre de cabellos blancos, ya viuda, pero ligada a los gestos originarios de la vida y, por consiguiente, al sentido profundo que conlleva cada objeto familiar.

Ese pan evoca el recuerdo de un pasado en el que se cocía semanalmente con mucho sacrificio. Eran once bocas como de pajarillos esperando el alimento materno. Temprano se levantaba aquella que se convirtió en símbolo de la «*mulier fortis*» y de la «*magna mater*». Hacía un montón con mucha harina de trigo, blanquísima. Tomaba la levadura. Añadía muchos huevos. De vez en cuando, ponía también batatas dulces. Y después, con brazo fuerte y mano vigorosa, amasaba el pan hasta que se formaba homogéneamente la masa. Ésta se cubría con un poco de harina de maíz, más gruesa, y por fin con una toalla blanca.

Al levantarnos, ya estaba allí, sobre la mesa, la enorme masa. Nosotros, los pequeños, espiábamos por debajo de la toalla para ver la masa fofa y blanda. A escondidas, con el índice, tomábamos un poco de masa y la cocinábamos sobre la chapa caliente del fogón de leña. Y después venía el fuego del horno. Se necesitaba mucha leña. Las peleas eran frecuentes... ¿A quién le toca hoy ir a por leña? Pero cuando salía el pan rosado como la salud, todos se alegraban. Los ojos de la madre brillaban entre el sudor del rostro enjugado con el delantal blanco.

Como en un ritual, todos tomaban un pedazo. El pan nunca se cortaba. Hasta hoy. El pan se despedazaba. Quizá para recordar a aquel que fue reconocido al partir el pan (cf. Lc 24,30.35).

Aquel pan, amasado en el dolor, crecido en la expectativa, cocido con sudor y comido con alegría, es un símbolo fundamental de la vida. Siempre que papá iba de viaje, mamá lo esperaba con una gran hornada de pan. Y él, como nosotros los niños, se alegraba con el pan fresco, comido con queso o salchichón italianos y una buena copa de vino. Nadie como él gozaba tanto del sabor de la existencia simple en la fru-

galidad generosa de estos alimentos primordiales de la humanidad.

Ahora, cuando se hace el pan en el piso,
cuando se distribuye entre los hermanos, es para recordar el gesto de otros tiempos. Nadie de
entre los hermanos se percata de ello. Quien lo
sabe es el inconsciente y las estructuras profundas de la vida. El pan trae a la memoria consciente lo que está encubierto en las profundidades del inconsciente familiar. Éste puede siempre ser avivado y re-vivido. Los hermanos dirán
que este pan es el mejor del mundo. No porque
sea fruto de alguna fórmula concreta con la que
los negociantes harían fortuna, sino porque es
un pan arquetípico y sacramental. En cuanto sacramento, participa de la vida de los hermanos;
es bueno para el corazón. Alimenta el espíritu
de la vida. Está saturado del sentido que trans-
luce y trans-parenta en su materialidad de pan.

4.1. El pensamiento sacramental:
una experiencia total

Ya hemos reflexionado sobre el pensamiento
sacramental. Éste se caracteriza por el modo en
que el hombre aborda las cosas, no indiferente-
mente, sino creando lazos con ellas y dejándo-
las entrar en su vida. Entonces ellas comienzan
a hablar y a ser expresivas del hombre. Desde

el momento en que nos adueñamos de una cosa, ésta comienza a pertenecer a nuestro mundo, se vuelve única. Ya lo decía el Principito a las cinco mil rosas del jardín, totalmente iguales a la única de su planeta B 612 que él había hecho suya: «Vosotras no sois en absoluto iguales a mi rosa, vosotras no sois nada todavía. Todavía nadie os ha hecho suyas ni habéis hecho vuestro a nadie. Sois lo mismo que era mi zorro. Era igual a cien mil otros. Pero yo me hice amigo de él, y ahora es único en el mundo». Esa rosa, lo mismo que el zorro, se transformó en sacramento. Ambos, la rosa y el zorro, hacen visible la convivencia, el trabajo de crear lazos, la espera, el tiempo perdido. El trigo es inútil para el zorro. Los campos de trigo no le recuerdan nada. Pero el Principito tiene los cabellos color de oro... Y entonces el trigo de color de oro comienza a hablar. Se transforma en sacramento. Le hace recordar al Principito. Y el zorro comenzará a amar el remolino del viento en el trigal de color de oro.

Lo mismo ocurre con el pan. Ese pan no es igual a ningún otro pan en el mundo. Porque sólo él, con su aroma, con su gusto inconfundible y con el trabajo realizado por la madre, recordará la vida de ayer. Pero ¿cómo la recordará?

4.2. In-manencia, trans-cendencia, trans-parencia

El pan recuerda algo que trans-ciende el pan. El pan, por su parte, es algo in-manente: permanece ahí. Tiene su peso, su composición de elementos empleados (harina, huevos, agua, sal y levadura), su opacidad. Ese pan (realidad in-manente) hace presente algo que no es pan (realidad trans-cendente). ¿Cómo lo hace? Por el pan y a través del pan. El pan se vuelve entonces trans-parente para la realidad trans-cendente. Deja de ser puramente in-manente. Ya no es como los demás panes. Es diferente, porque recuerda y hace presente por sí mismo (in-manencia) y a través de sí mismo (trans-parencia) algo que va más allá de sí mismo (trans-cendencia).

El pan se vuelve trans-lúcido, trans-parente y diá-fano de la realidad del alimento, del hambre, del esfuerzo de la madre, del sudor, de la alegría de repartir el pan, de la vuelta del padre. Todo el mundo de la infancia se hace, de repente, presente en la realidad del pan y a través de la realidad de éste.

El sacramento introduce dentro de sí una experiencia total. El mundo no está sólo dividido en inmanencia y transcendencia. Existe otra categoría intermedia, la trans-parencia, que acoge en sí tanto a la inmanencia como a la transcendencia. Estas dos no son realidades opuestas, una frente a otra, excluyéndose mutuamente, sino que son realidades que comulgan y se encuentran entre sí. Se tras-pasan, se con-jugan, se com-binan, se a-socian, se re-ligan, se con-catenan, se co-munican y con-viven la una en la otra. La transparencia quiere decir exactamente eso: lo transcendente se hace presente en lo inmanente, logrando que esto se vuelva transparente a la realidad de aquello. Lo transcendente, irrumpiendo dentro de lo inmanente, transfigura lo inmanente, lo vuelve transparente.

Entender esto es entender el pensamiento sacramental y la estructura del sacramento. No entender esto significa no entender nada del mundo de los símbolos y de los sacramentos.

El sacramento (trans-parencia) participa, por tanto, de dos mundos: el transcendente y el inmanente. Eso no ocurre sin tensiones y tentaciones. El sacramento puede inmanentizarse, excluyendo la transcendencia, y entonces se vuelve opaco, sin el fulgor de la transcendencia que transfigura el peso de la materia. El sacramento se puede transcendentalizar, excluyendo la inmanencia, y entonces se vuelve abstracto; pierde la concreción que la inmanencia confiere a la transcendencia. En ambos casos se perdió la trans-parencia de las cosas. Se pervirtió el sacramento.

De vez en cuando, allá en casa, se come el
pan partido, hecho por la madre. Es bueno como la vuelta de un padre. Es mucho más que
alimento. Es fruto del dolor, de la alegría, del
cariño a los hijos, de la sorpresa de un regreso,
de las peleas a causa de la leña, del hambre sa-
ciada. Es bueno para el corazón. Alimenta el espíritu y no el cuerpo. Porque es un sacramento.

5

EL SACRAMENTO
DE LA VELA DE NAVIDAD

La nieve caía fuera, leve..., leve. Cubría ya todos los campos con un espeso manto blanco. Sólo se veía un mar de nieve, con fantasmas oscuros, los cipreses, acá y allá, asustando la mirada. Para un hombre llegado de los trópicos no dejaba de suponer un espectáculo deslumbrante. Era víspera de Navidad; la primera Navidad fuera de la patria: una mezcla de melancolía y de nostalgia y, al mismo tiempo, de expectativa y serenidad interior, aumentada por la atmósfera del invierno riguroso de 22 grados bajo cero. Berchtensgaden, ciudad diminuta en el extremo sur de Alemania, uno de los más soberbios paisajes de Baviera, sólo manchada por el nombre de Hitler, que construyó allí, en el corazón de la montaña, su D-Haus, especie de escondrijo que nunca llegó a usar.

El pequeño convento franciscano, en el centro de la ciudad, casi se pierde en la blancura de la nieve bajo la ceniza densa del cielo opaco. Sólo la torre puntiaguda horada el cielo de nieve. Pasé la tarde deambulando, sin prisa, por las calles adornadas. Conforme a la costumbre local, en las ventanas ardían faroles: es la señal de que el Niño llega. Pasa una sola vez; hay que estar preparados.

Al atardecer, escuché muchas confesiones, especialmente de franceses, que en aquella época comenzaban a hacer deporte de invierno en las altas montañas de los alrededores. Nosotros, los sacerdotes, apenas tuvimos tiempo para prepararnos; ayudamos a que otros se preparasen. Ni celebramos bien la Navidad: estábamos sirviendo a los que querían celebrarla. Por la noche, en la misa de las 6, mientras todos se volvían hacia el pequeño del pesebre y recordaban su historia, nosotros, en el confesionario, oíamos otras historias de otros amores. ¡Si al menos en ese día, pensé entonces, pudiésemos todos oír la misma historia, la Historia del Amor en el mundo, de la Proximidad de Dios, que, de grande e inmenso en su gloria, se hizo pequeño e infinito en su benignidad...!

Después, hacia las 11, oímos grandes estampidos, con gran intensidad y por todos los lados, iluminando la nieve, que se volvía azul. Eran los campesinos que descendían de las montañas y llegaban para la misa del gallo. En su ruda simplicidad, ésta era su forma de acariciar al tierno Niño que sonreía entre el buey y el asno. La misa de medianoche fue muy hermosa, cantada por los aldeanos, vestidos con pantalones de cuero hasta la rodilla, con gruesas medias y aún más gruesos zapatones. Tocaron sus instrumentos, con melodías típicas de Baviera. Parecían, y bien podrían haber sido, los pastores de Belén. Cuando todo acabó, se hizo un gran silencio. Por los valles se distinguían lucecitas caminando: eran ellos, que regresaban presurosos, glorificando y alabando a Dios por todo lo que habían visto y oído.

Hacia la 1,30 de la madrugada suena la campanilla del convento. A la puerta está una viejecita. Aferra en sus manos un farol encendido. Va toda ella envuelta en un grueso manto color ceniza. Trae un paquetito. Dice: «Es para el *Paterle* (padrecito) extranjero que estaba en la misa del gallo». Me llamaron. Me entregó el paquete, todo adornado, con breves palabras: «Usted, señor, está lejos de su patria, distante de los suyos. Esto es un regalito para usted. También para usted hoy es Navidad». Me apretó fuertemente la mano y se alejó en la noche bendecida por la nieve.

En la habitación, solo, mientras recordaba imágenes de la Navidad en casa, muy parecida a ésta aunque sin nieve, deshice con reverencia el paquete. Era una gruesa vela de color rojo oscuro, toda trabajada y con un fuerte soporte de metal. Una lucecita iluminó la noche de la soledad. Las sombras se proyectaban trémulas y alargadas en la pared. Ya no me sentí solo. Fuera de la patria había acontecido el milagro de toda Navidad: la fiesta de la fraternidad de todos los hombres. Alguien había entendido el mensaje del Niño: hizo del extraño un prójimo, y del extranjero un hermano.

Hoy todavía, después de algunos años, la vela vigila durante la Navidad sobre el estante de los libros. Todos los años, en la noche santa, se enciende. Y se encenderá siempre. Al encenderse, recordará una noche feliz, entre la nieve, en la soledad. Recordará el gesto de dar, que es algo más que un brazo extendido. Traerá a la memoria el regalar, que es más que dar. Hará presente la Navidad, con todo lo que significa de humano y de divino. Esta vela de Navidad es más que una vela cualquiera, por muy artística que sea. Es un sacramento navideño.

5.1. Visto desde Dios, todo es sacramento

Hasta este momento de nuestra reflexión hemos considerado los sacramentos humanos. Ahora es el momento de abordar los sacramentos divinos. Contempladas «*sub specie humani-*

tatis», todas las cosas expresan y simbolizan al hombre. Son sacramentos humanos. Cuanto más permitimos que las cosas penetren en nuestra vida, tanto más manifiestan ellas su sacramentalidad, es decir, se vuelven significativas. Y únicas para nosotros. Evocan nuestras vivencias tenidas con ellas. Eso ocurre con la vela de Navidad. La Navidad pasó. Aquella vivencia fue superada por otras. Pero la vela continúa ahí; no deja que el pasado se quede en pasado; rememora y evoca. El sacramento nos redime del pasado. El hecho muerto vive. Gracias a ella, la Navidad de Berchtensgaden sigue siendo una presencia permanente. Son sacramentos humanos que pueblan la vida de cada hombre.

Existen sacramentos divinos. El hombre posee una profunda experiencia de Dios. Dios no es un concepto aprendido en el catecismo. Ni es la cúspide de la pirámide que cierra armoniosamente nuestro sistema de pensamiento. Dios es una experiencia interior que alcanza las raíces de su existencia. Sin él, todo le resultaría absurdo. Ni se comprendería a sí mismo, y mucho menos al mundo. Dios se le presenta como un misterio tan absoluto y radical que se anuncia en todo, lo penetra todo y en todo resplandece. Si él es el único absoluto, entonces todo cuanto existe es revelación de él. Para quien vive a Dios de esta manera, el mundo inmanente se vuelve transparente para esta divina y transcendente realidad. El mundo se hace diáfano. Como decía san Ireneo: «Ante Dios nada es vacío. Todo es una señal de él» (*Adv. Haer.* 4,21). Habla de Dios, de su belleza, de su bondad, de su misterio. La montaña no es sólo montaña. Está al servicio de la Grandeza que encarna y evoca. El sol es más que el sol. Es el sacramento de la luz divina que ilumina, por igual y generosamente, desde el pedazo de estiércol del camino hasta la majestuosa catedral, desde el pobretón de la calle hasta el papa en el Vaticano. El hombre no es sólo hombre; es el mayor sacramento de Dios, de su inteligencia, de su amor y de su misterio. Jesús de Nazaret es más que el hombre de Galilea. Es el Cristo, el sacramento vivo de Dios encarnado en él. La Iglesia es algo más que la sociedad de los bautizados; es el sacramento de Cristo resucitado haciéndose presente en la historia.

Para quien contemple todo a partir de Dios, todo el mundo es un gran sacramento; cada cosa, cada suceso histórico, se destaca como sacramento de Dios y de su divina voluntad. Pero esto sólo es posible para quien vive a Dios. De lo contrario, el mundo es una realidad opaca y meramente inmanente. En la medida en que alguien, con esfuerzo y lucha, se deje asumir y penetrar por Dios, en la misma medida se verá premiado con la transparencia divina de todas las cosas. Los místicos nos dan la mejor prueba de ello. San Francisco se sumergió de tal forma en el misterio de Dios que de repente todo se transfiguró para él; todo hablaba de Dios y de Cristo; el gusano del camino, el cordero del campo, los pájaros de los árboles, el fuego, la muerte, llamada ahora «hermana muerte». Dios lo llena todo: la inmanencia, la transparencia y la transcendencia, como dice Pablo: «Sólo hay un Dios y Padre de todo, que está por encima de todo (transcendencia), a través de todo (transparencia) y en todo (inmanencia)» (Ef 4,6). Con Teilhard de Chardin, que vivió una visión sacramental semejante, podemos decir: «El gran misterio del cristianismo no es exactamente la aparición, sino la transparencia de Dios en el universo. Oh, sí, Señor, no sólo el rayo que aflora, sino el rayo que penetra. No tu Epi-fanía, Jesús, sino tu dia-fanía» (*El medio divino*).

5.2. Mundo sacramental: función indicadora y función reveladora

La transparencia del mundo respecto de Dios es la categoría que nos permite entender la estructura y el pensamiento sacramental. Esto significa que Dios nunca es alcanzado directamente en sí mismo, sino siempre juntamente con el mundo y con las cosas del mundo, que son diá-

fanas y transparentes respecto de él. De ahí que
la experiencia de Dios sea siempre una experiencia sacramental. En la cosa experimentamos
a Dios. El sacramento es una parte del mundo
(in-manente), pero que aporta en sí otro mundo
(trans-cendente), Dios. En la medida en que
presentiza a Dios, forma parte de otro mundo, el
de Dios. De ahí que el sacramento sea siempre
ambivalente. En él coexisten dos movimientos:
uno que viene de Dios hacia la cosa, y otro que
va de la cosa hacia Dios. Por eso podemos decir
que el sacramento posee dos funciones: la función indicadora y la función reveladora.

En su función indicadora, el objeto sacramental indica hacia Dios, presente en él. Dios
es captado, no con el objeto, sino en el objeto.
El objeto no absorbe en sí la mirada del hombre; hace que la mirada se dirija hacia Dios,
presente en el objeto sacramental. El hombre ve
el sacramento, pero no debe descansar en ese
mirar objetivado. Debe transcender y descansar
en Dios, comunicado en el sacramento.

Ésa es la función indicadora del sacramento. Va del objeto a Dios.

En su función reveladora, el sacramento revela, comunica y expresa a Dios presente en él.
El movimiento va de Dios al objeto sacramental. Dios, en sí invisible e inaferrable, se hace
sacramentalmente visible y perceptible. Su presencia inefable en el objeto hace que éste se

transfigure y diafanice. Sin dejar de pertenecer al mundo, se convierte en vehículo e instrumento de la comunicación del mundo divino. Es el acontecimiento de la transparencia y la diafanía divinas. El hombre de fe es invitado a sumergirse en la luz divina que resplandece en el interior del mundo. El sacramento no saca al hombre de su mundo. Le conmina a que mire con más profundidad dentro del corazón del mundo. Como dice san Pablo: todo hombre es llamado –y, por tanto, ninguno queda excluido, con lo que nadie es disculpable– a reflexionar profundamente sobre las obras de la creación. Si hace esto incansablemente, verá que lo que parecía invisible, el poder eterno y la divinidad, comienza a volverse visible (Rm 1,19-20). El mundo, sin dejar de ser mundo, se transforma en un elocuente sacramento de Dios: apunta hacia Dios y revela a Dios. La vocación esencial del hombre terreno consiste en convertirse en hombre sacramental.

Cuando, por Navidad, se enciende por unos momentos la vela, recuerda dos cosas: indica y apunta hacia un hecho pasado y habla del gesto de la fraternidad, rescatándolo de la mortalidad del pasado y haciéndolo vivir en el presente; y revela con su luz trémula una luz que se encendió en la noche del desamparo humano para decirnos: ¡Oh hombre, alégrate! La luz tiene mayor derecho que las tinieblas. Ésta es la luz verdadera que ilumina a todo hombre que viene a este mundo. Ella ya estaba en el mundo, y el mundo era diáfano y transparente hacia Dios. Pero los hombres no la habían visto. Ahora, sin embargo, con su diafanía hemos visto la claridad de su gloria, gloria del Unigénito del Padre, lleno de gracia y de verdad (cf. Jn 1,9-14).

6

EL SACRAMENTO
DE LA HISTORIA DE LA VIDA

HAY momentos en la vida en que la consideración del pasado constituye la verdad del presente. Le manifiesta el sentido y su razón más profunda. Viéndolo más de cerca, el pasado, en realidad, deja de ser pasado. Es una forma de vivir el presente. Una experiencia significativa del presente abre un paisaje nuevo en la contemplación del pasado. Estaba allí, pero nadie era capaz de verlo. Porque faltaban ojos. La presencia experimental del presente crea ojos nuevos para ver cosas antiguas, y entonces éstas se hacen nuevas, como el presente.

El pasado aparece entonces, no como una sucesión anodina de hechos, sino como una corriente lógica y coherente. Un nexo misterioso religa los hechos. Emerge un sentido patente,

antes latente en el río de la vida. Había un plano que se fue desdoblando lentamente, como
cuando se va desdoblando un mapa geográfico
de una región. En la maraña de los datos se des-
tacan las ciudades, los ríos, las carreteras,
uniendo los puntos principales. La región ya no
es una tierra desconocida. La región descrita en
el mapa tiene sentido para el viajante. Éste puede ir sin errar, porque ve el camino.

Algo semejante ocurre con la vida. Ésta va
anotando puntos, va abriendo caminos. Nadie
sabe a ciencia cierta hacia dónde pueden conducir. Pero son caminos. De repente, acontece
algo muy importante. En el mapa de la vida
aparece un punto, como una gran ciudad. Los
caminos corren en su dirección. Pasan los ríos;
cruzan los aviones. La vida comienza a cobrar
sentido, porque tenemos un punto de apoyo y
una elevación importante desde la que podemos
ver el paisaje que nos rodea. ¡Se formó la corriente coherente de la vida!

Ese presente es una experiencia muy profunda, preparada, sufrida, purificada por crisis,
madura. Hubo una decisión que comprometió
toda la vida, la salvación y la perdición. El hombre profirió su palabra, se definió ante la vida.
Ya no puede borrar la palabra dada sin cambiar
el curso de la existencia. A partir de esa decisión, mira hacia el pasado. Relee todo en función de este presente: cómo se fue concibiendo,

gestando, configurando, hasta nacer finalmente. La gente lee el sentido de la vida a partir de un pasado que culmina en este presente.

Concretamente: en la noche del 14 de diciembre de 1964, dieciocho jóvenes deciden ordenarse sacerdotes, con el vigor de los 26 años. Mañana, por fin, tendrá lugar la ordenación. Ese día fue preparándose durante quince años. Mañana seré revestido de Cristo, con la fuerza de poder representarlo, de poder prestarle la presencia, la voz, los gestos, el cuerpo. El hombre tiembla, tanto más cuanto más profundiza en el significado de tal audacia misteriosa y es consciente del abismo que media entre el Pecador y el Santo. En el juego de la vida representará el papel de Cristo. Como en todo juego, esto es absolutamente serio. Llegó la ordenación. La gente sobrevivió a la irrupción del Misterio. Una semana después, se celebran las primicias o primera misa solemne entre parientes y amigos, en el propio terruño, donde todo comenzó.

Todos contemplan con los ojos llenos de respeto. Se activan arquetipos primitivos: todos temen aproximarse al que fue consagrado. Pero el arquetipo familiar rompe el tabú. Comienzan los comentarios, especialmente de las tías de más edad, las que llevaron en sus brazos al niño, ahora neosacerdote, y vieron sus primeras travesuras infantiles. «Yo siempre decía que desde pequeño tenía inclinación de sacerdote.

A los cinco años ya celebraba misa vestido con una capa vieja y les echaba sermones a los hermanitos». Un antiguo empleado recuerda: «Una vez se subió encima de un tronco y echó un sermón al estilo de los capuchinos. Condenó a un hermano suyo al infierno. El otro reaccionó. Se cayó y se clavó en una estaca. Tuvieron que operarle la pierna». Cada uno iba uniendo hechos; la corriente iba creciendo, hasta desembocar en el día de la primera misa.

Yo mismo sólo recuerdo el día 9 de mayo de 1949. Hasta entonces, nunca había pensado en ser sacerdote. En la familia existía una sana tradición anticlerical, herencia preciosa que todos conservan hasta hoy. Llegó un sacerdote; era de Río. Habló de las vocaciones sacerdotales, de san Francisco y de san Antonio, de la grandeza de ser otro Cristo en la tierra. Y concluyó: «El que quiera ser sacerdote, que levante la mano». Yo escuché todo; sentí un calor increíble; me sentí invadido por un fuego en la cara que hizo una eternidad de la breve duración entre la pregunta y la respuesta levantando la mano. Alguien dentro de mí levantó mi mano. Me anotaron y se lo notificaron a mi padre. Después, en casa, lloré por haber hecho eso. ¿Por qué ser sacerdote? Yo quería ser camionero, la vocación más fantástica que podía imaginar, ya que los camioneros conducían y domaban monstruos, como eran para nosotros los antiguos camiones. Pero había quedado dicha una palabra y definida mi vida.

Entré en el seminario. Se fueron construyendo los eslabones. Sólo ahora, en la noche del 14 de diciembre de 1964, puedo unirlos. ¡Y qué corriente llegan a formar! Todavía resuenan las palabras que todos pronunciaron: «Señor, en la simplicidad de mi corazón, alegre, os lo ofrezco todo...». Y el pueblo, a nuestro alrededor, decía: «¡Consérvale, Señor, esa santa voluntad!». La vida está hecha de relecturas del pasado. Cada decisión importante del presente abre nuevas visiones del pasado. Cada hecho ocurrido gana sentido en cuanto hilo conductor y secreto que cargaba latente con el futuro que ahora se hace presente. El hecho pasado anticipa, prepara, simboliza el futuro. Asume un carácter sacramental.

6.1. Una vez más: ¿qué es un sacramento?

Sacramento es todo, cuando se contempla a partir y a la luz de Dios: el mundo, el hombre, cada cosa, señal y símbolo de lo transcendente. Para la Iglesia primitiva, sacramento era de modo particular la historia humana dentro de la que se realiza el plan salvífico de Dios, la acogida o el rechazo de la gracia por parte del hombre. El sentido de los hechos es portador de un Sentido

transcendente; da cuerpo al designio salvífico
de Dios. La historia de las aberraciones, la anti-
historia de los humillados y ofendidos injusta-
mente, es expresión del rechazo humano ante la
llamada de la salvación. Todos los hechos se
convierten, de este modo, en figurativos, sea de
salvación o de perdición. Son sacramentos que
significan y presentizan la perdición o la salvación. La totalidad de la historia, como unidad de
sentido, asume un carácter sacramental.

También los actos en que se concreta esta
historia asumen carácter sacramental, aun
aquellos que componen la cotidianidad de la
existencia. Y así, la lucha de un pueblo por su
liberación se transforma en sacramento; el movimiento obrero, que conquistó con sudor y
sangre sus derechos fundamentales, el vecinda-
rio de un barrio que festeja los servicios públi-
cos instalados en él, como son la escuela, la
asistencia médica, la luz eléctrica y el agua. En
todos esos hechos se concreta un poco el Reino
de Dios y se anticipa la salvación definitiva.

El pueblo judío fue maestro en esta interpretación de la historia humana, leída como
historia de salvación o de perdición. A partir de
una experiencia muy importante y decisiva, re-
leían cada vez todo su pasado. Surgía una nueva síntesis en la que el acontecimiento presente
se anunciaba ya y se preparaba lentamente en el
pasado, de forma cada vez más nítida, hasta

irrumpir, límpido, en la experiencia presente de la fe. El pasado era sacramento del presente. Pongamos un ejemplo.

Bajo David y Salomón, Israel conquista definitivamente la tierra de Canaán. Hay paz, y se disfruta de la tranquilidad del orden. Alrededor del 950 a.C., durante el reinado de Salomón, surge uno de los mayores genios teológicos de la historia, el Yahvista (llamado así porque en sus escritos siempre llama a Dios «Yahvé»). Éste interpreta la paz del presente, como encarnación de la salvación de Dios para su pueblo. Partiendo de este presente, lee el pasado: cómo todo fue preparado y encaminado por Dios de tal manera que desembocase en la próspera situación actual.

El presente no es fortuito: es obra y designio amoroso de Dios para con el pueblo de Israel. El Yahvista elabora entonces una vigorosa síntesis religiosa. Dios creó todo. Todo era bueno. La humanidad vivía en la atmósfera de su amor, simbolizada por el jardín de las delicias o paraíso terrenal. Pero se degradó. Dios esparció a los hombres por toda la tierra. Con Noé intenta, en vano, un nuevo comienzo. Es entonces cuando escoge a Abrahán para que sea instrumento de salvación para todos los pueblos. Le promete Canaán como tierra del pueblo escogido nacido de Abrahán. Pero ese pueblo es esclavizado en Egipto. Dios lo libera y

lentamente hace que conquiste la cultura cana-
nea. Ahora, con David y Salomón, se realiza
plenamente ese designio.

El camino fue largo y lleno de zigzags. Pero
Dios escribió derecho con líneas torcidas. El
presente permitió al Yahvista releer de esta forma el pasado.

Doscientos años después, la situación es diversa. La unidad del reino davídico-salomónico
ha quedado destruida. El reino del norte se ve
ahora amenazado por los asirios. Hay una gran
decadencia moral. La tierra prometida, penosa-
mente conquistada, está a punto de ser invadi-
da. En tales circunstancias, alrededor del 740
a.C., surge un gran teólogo, el Elohísta (porque
llama a Dios «Elohim»). La situación presente
le presta ojos para releer el pasado: cómo todo
se enderezó hacia este desastre nacional. En el
pasado no contempla ya la historia de salvación
como hacía el Yahvista, sino la historia de perdición. Su síntesis es sencilla: Dios realiza
siempre una alianza con el pueblo. El pueblo
rompe el pacto. Dios castiga. Renueva la alianza. El pueblo vuelve a traicionar esa alianza. La
alianza es el símbolo de la traición y del rechazo del pueblo. Solamente volviendo a la fidelidad, podrá Israel ser feliz y escapar de la ame-
naza asiria. Los hechos pasados son sacramento del presente infeliz. La situación actual es
fruto de toda una historia de rechazos.

6.2. De lectura en lectura
se estructura un sacramento

La Biblia está llena de relecturas semejantes. El Nuevo Testamento es la última gran relectura de toda la historia pasada. Para los apóstoles y evangelistas, la vida, muerte y resurrección de Jesucristo ofrecía la luz definitiva con la que podían descifrar todo el sentido escondido del pasado. Para ellos, como para nosotros, Jesucristo resucitado constituye el hecho decisivo de la humanidad: en Él se manifestó que la liberación de la muerte, de las limitaciones de la vida y del absurdo, es posible. Ese suceso no es un puro hecho casual de la historia; no es un aborto. Fue preparándose, fue siendo gestado dentro de la creación. Como decía san Agustín, la historia estaba grávida de Cristo, y él fue creciendo hasta nacer. A partir de él podemos, igual que lo hizo el Nuevo Testamento, releer todo el pasado: cómo la misma creación ya estaba orientada hacia él; cómo Adán es imagen y semejanza de Cristo. Él estaba latentemente presente en Abrahán, en Moisés, en Isaías; hablaba por boca de Buda, de Chuang-Tzu, de Sócrates y de Platón. El significado de éstos se revela plenamente a la luz de Cristo: lo que ellos intentaban, Jesús lo realizó. Ellos son sacramentos de Cristo.

Más tarde, los cristianos hicieron la experiencia de la comunidad eclesial en cuanto comunidad de amor, de unidad, de servicio, de esperanza. Ese hecho presente les proporcionó a su vez una óptica para releer el pasado. Así, ya los primeros cristianos, como atestiguan Papías, la Didajé, Tertuliano, Orígenes, san Agustín, etc., veían a la Iglesia como preparada ya desde la creación del mundo con Adán y Eva, primera comunidad de amor. Las religiones del mundo, el pueblo de Israel, la comunidad apostólica de Jesús con los doce... eran sacramentos y símbolos de la Iglesia. Ésta se fue preparando poco a poco, hasta manifestarse plenamente a partir de Pentecostés.

Existe aún una última posibilidad de lectura sacramental: ver todo a partir del fin último de la historia, a partir del cielo o del infierno. En ese caso, todo se constituye en sacramento preparador de ese fin último: la creación, los pueblos, las religiones, las comunidades políticas, Jesucristo y la Iglesia. Son eslabones penúltimos y símbolos anticipadores del fin. Cuando irrumpa el fin mismo, entonces, como nos recuerda la *Imitación de Cristo,* cesará la función de los sacramentos: se verá todo cara a cara, sin la mediación simbólica de los significantes.

Como puede suponerse, esta lectura no es arbitraria. La vida humana es relectura del pasado como forma de vivir el presente y de co-

brar fuerzas para el futuro. El neosacerdote relee a partir de la ordenación, hecho importante
de su vida, todo su pasado histórico. Descubre
gestos precursores, insignificantes, pero que
transportaban el futuro que se hizo presente.
Todo entonces se convierte en símbolo y sacramento. Así ocurre con la historia humana. Ella
es sacramento de la liberación o de la opresión,
de la salvación o de la perdición.

7

EL SACRAMENTO DEL PROFESOR DE ENSEÑANZA PRIMARIA

Era casi un mito. En las poblaciones del interior, adonde no habían llegado aún los grandes medios de comunicación con sus super-héroes, se le consideraba precisamente un héroe, un sabio, un maestro, un consejero. Su palabra se convertía en sentencia. Su solución era un camino. ¿Quién era ese mortal? El señor Mansueto, profesor de enseñanza primaria en Planalto, Santa Catarina, villa de colonos italianos. Para quienes lo conocimos y fuimos sus alumnos, representó el símbolo fundamental de los valores de la existencia, tales como el idealismo, la abnegación, la humildad, el amor al prójimo, la sabiduría de la vida. Los valores no se comunican en abstracto, sino proclamándolos o

defendiéndolos. Más en concreto, viviéndolos
y refiriéndolos a personas que los encarnan con
sus vidas.

El señor Mansueto era una de estas apari-
ciones. No sé si, con el paso de los años, la ten-
dencia del espíritu es a mitificar experiencias
del pasado; pero en el caso de nuestro querido
profesor de enseñanza primaria, el mito quizá
sea la forma de conservar mejor la riqueza de
su historia sencilla y concreta. En la villa, él so-
bresalía como sobresale el pino en medio de la
maleza o de las campiñas de ganado, verdes y
onduladas.

El señor Mansueto era fundamentalmente
un idealista. Formado en humanidades, con el
rigor del seminario antiguo, en contabilidad, en
derecho por correspondencia (en aquel tiempo
había cosas semejantes...) y en no sé cuantas
cosas más, ese hombre delgado, escuálido, pero de una elegancia agreste con su bella cabeza
inteligente, abandonó todo para enseñar en la
selva y liberar de la ignorancia y de la negligen-
cia a los primeros colonos del interior catari-
nense. Para nosotros fue siempre un misterio:
en un mundo sin cultura alguna, él poseía una
biblioteca de cerca de dos mil libros que pres-
taba a todo el mundo, obligando a los colonos
y a sus hijos a leer; estudiaba los clásicos lati-
nos en su lengua original; se entretenía con algunos pensadores como Spinoza, Hegel y Dar-

win; y citaba al *Correio do Povo* de Porto Alegre. Tenía clases por la mañana y por la tarde.
Por la noche, anticipándose a Mobral, enseñaba
a los más ancianos. Además, mantenía clases
para los más inteligentes, dándoles un curso de
contabilidad. Formó un círculo con el que dis-
cutía de política y de cultura. Los grandes problemas sociales y metafísicos preocupaban al
alma inquieta de este pensador anónimo de una
insignificante villa del interior. Jamás olvidare-
mos su alegría cuando, solicitado en varias oca-
siones por sus antiguos alumnos, que ya estu-
diaban en la universidad, para que les hiciera en
casa ejercicios sobre problemas de derecho
constitucional, sobre la legitimidad del poder
alcanzado por una revolución victoriosa, o sobre temas de historia, se enteraba de que la no-
ta alcanzada había sido un diez.

Aquel hombre ,era profesor de enseñanza
primaria. Ya en la escuela, nos enseñaba las primeras palabras en griego y en latín y suminis-
traba a los alumnos rudimentos de filología.
¡Con qué orgullo repetíamos esas palabras más
tarde en el bachillerato! En la escuela transmi-
tía todo lo que un hombre, apenas formado en
esa universidad primaria, debía saber: nociones
de ecología, de interés, medición de tierras, le-
gislación civil, principios sobre construcción de
casas, religión como visión de Dios en el mundo que nos rodeaba.

Cuando se comercializó la radio, adquiría aparatos y obligaba a todos los colonos a comprarlos. Los montaba él mismo con el fin de abrir sus mentes a los vastos horizontes del mundo, para que aprendiesen portugués (la mayoría hablaban italiano, y unos pocos alemán) y se humanizasen. Con quienes se mostraban reacios empleaba siempre un procedimiento eficaz: colocaba una radio en lo alto de un tronco enfrente de la casa. La ataba allí y se iba. Cuando se democratizó la penicilina, él fue quien salvó la vida de docenas de personas, algunas ya desahuciadas por los médicos. Su fama crecía hasta el nivel de fe ciega en los colonos, con sus recetas estudiadas en libros técnicos y con los remedios que compraba en farmacias distantes. Actuaba como abogado de mestizos y negros, fuertemente discriminados por la población inmigrante. Cuántas veces oíamos de boca de éstos: «¡Dios en el cielo y el señor Mansueto en la tierra...!».

Murió pronto, de cansancio y agotamiento, debido a los trabajos que hacía en función de todos y de su numerosa familia. Sabía que iba a morir; lo presentía en su corazón cansado. Acariciaba a la muerte como amiga y soñaba con discutir con los grandes sabios en el cielo y hacerle grandes preguntas a Dios. Murió a más de mil kilómetros del lugar. El pueblo reclamó su cuerpo. Fue una apoteosis: se inició una verdadera mansuetología, como memoria e interpretación de su vida, sus palabras y sus gestos. El pueblo no inventa; aumenta, idealiza y magnifica. Lo transformó en símbolo de un tipo de humanidad consagrada a los demás hasta el extremo de la autoconsumación.

Lector amigo, si algún día pasas por una ciudad pequeña pero sonriente como el nombre que lleva, Concordia, y visitas el cementerio, fíjate bien: si reparas en un túmulo con un bello dístico, con flores siempre frescas y ya con algunos exvotos junto a la gran cruz, a la izquierda, es el del profesor Mansueto. Él vive todavía en la memoria de aquellas gentes.

7.1. Jesús de Nazaret, sacramento fontal de Dios

Para la Iglesia primitiva, como para nosotros hoy, un sacramento casi no necesita ser un objeto del mundo como un vaso, un trozo de pan o una vela de Navidad. Toda la historia, como hemos considerado, puede ser sacramento, en cuanto que el sentido de los hechos es portador de un Sentido radical llamado «salvación» o de un sinsentido que media un absurdo más profundo y que es interpretado como perdición. Dentro de la historia emergen personas que capitalizan el sentido histórico, encarnan la liberación, la gracia, la bondad, la apertura sin límites al otro y al Gran Otro. Los Padres daban a estas figuras históricas el nombre de «sacramentos»: así, Abrahán, Noé, David, Sara, Rebeca, Ana, María, etc. Nosotros añadimos al señor Mansueto. En esta línea, Jesús de Nazaret, con su vida, sus gestos de bondad, su valerosa muerte y su resurrección, es llamado el sacramento por excelencia. En él, la historia de la salvación en cuanto realización de Sentido, halló su culminación. Él fue el primero en llegar al término del largo proceso de hominización, venció a la muerte e irrumpió en el Misterio de Dios. En la medida en que encarna el plan salvífico de Dios, que es la unión radical de la criatura con el Creador y muestra anticipadamente cuál es el destino de todos los hombres redimidos, Jesús de Nazaret se presenta como sacramento fontal de Dios.

Si Dios es amor y perdón, siervo de toda criatura humana y simpatía graciosa para con todos los hombres, entonces Jesucristo incorporaba a Dios en nuestro medio, dada su inagotable capacidad de amor, de renuncia a toda voluntad de poder y de venganza, y de identificación con los marginados del orden de este mundo. Era el sacramento vivo de Dios, que contenía, significaba y comunicaba la simpatía amorosa de Dios hacia todos. Los gestos, las acciones, las diversas frases de la vida de Cristo eran sacramentos que concretaban el misterio de Dios. Los santos Padres hablaban de «*mysteria et sacramenta carnis Christi*». De él nos viene, como afirma san Juan, gracia sobre gracia (Jn 1,16); en él estaba simplemente la vida (Jn 1,4); era la misma vida (Jn 11,25; 14,6). Con Jesús de Nazaret «apareció la bondad y el amor a los hombres de Dios, nuestro salvador» (Tt 3,4; 2 Tm 1,10). Él era la forma visible del Dios invisible (Col 1,15), la irrupción epifánica de la divinidad en la diafanía de la carne visible y palpable (Col 2,9; 1 Jn 1,2). «Quien me ve a mí ve también al Padre» (Jn 14,9). Es ése el sentido en el que la gran tradición de la Iglesia, hasta el concilio Vaticano II, llama a Cristo «sacramento de Dios». El señor Mansueto era sacramento de aquellos valores que Jesús de Nazaret vivió hasta su máxima radicalidad y encarnó con la más cristalina limpidez.

7.2. Jesucristo, el sacramento del encuentro

Dios marcó su encuentro con el hombre en todas las cosas. En ellas el hombre puede encontrar a Dios. Por eso todas las cosas de este mundo son o pueden ser sacramentales. Cristo es el lugar de encuentro por excelencia: en él está Dios de forma humana, y el hombre de forma divina. La fe siempre vio y creyó que en Jesús

de Nazaret, muerto y resucitado, Dios y el
Hombre se encuentran en una unidad profunda, sin división y sin confusión. A través del
hombre-Jesús se llega a Dios, y a través del
Dios-Jesús se llega al hombre. Él es camino y
meta final del camino. En Él se encuentran los
dos movimientos, ascendente y descendente:
por un lado, es la expresión palpable del amor
de Dios (movimiento descendente); por otro, es
la forma definitiva del amor del hombre (movimiento ascendente). Quien dialogaba con Cristo se encontraba con Dios.

Cada vez que la memoria retorna al profesor
Mansueto, ve algo más que al profesor Mansueto. Ve el sacramento. El profesor visibiliza-
ba e historificaba aquello que era mayor que él:
la abnegación, el amor al prójimo, la dedica-
ción extrema. Para quien vea todavía más lejos,
representaba a Aquel que fue la abnegación
misma, el amor radical al prójimo y la dedica-
ción exhaustiva. Porque era sacramento.

8

EL SACRAMENTO DE LA CASA

EVIDENTEMENTE, no se viaja sólo para llegar. Pero en un viaje, el bien propiamente tal es la llegada. Me refiero a la llegada de regreso. Llegar es como echar el ancla tranquilamente en el puerto seguro, después de haber pasado por toda suerte de posibles peligros. ¡Hay tantos que viajan y nunca llegan...! Llegar es bueno, porque el hombre no vive por mucho tiempo sin casa o fuera de casa. La casa es la porción de mundo que se ha vuelto sacramental, doméstica, humana, donde cada cosa tiene su lugar y su sentido, donde no hay nada extraño, donde todo es exactamente familiar. Las cosas de la casa tienen vida y moran con los hombres; por eso, nada más horrible que los caserones inmensos, superfluos y vacíos. No son familiares. En ellos no hay «penates». Las cosas habitan,

no como buenos espíritus, sino únicamente como cosas poseídas por la vanidad y la ostenta-
ción. No viven. Por eso hacen siniestra la casa
del opulento vanidoso.

Sólo sabe existencialmente lo que significa
la casa paterna y familiar quien ha tenido que
vivir fuera de ella. Pasan los años. De pronto
regresa, como yo en 1970. Ya desde lejos, desde el barco, se divisaban los ribetes de la patria.
El corazón bate y se siente un gran estremeci-
miento. A medida que el navío se aproxima, la
gente va quedando envuelta por la familiaridad.
Desaparece el miedo. Hasta la muerte parece
dulce: «Aquí sí que podríamos dejar que sobre-
viniera la muerte, porque moriría uno entre los
brazos acogedores y familiares de la patria.
¡Llegamos!». Los abrazos son efusivos. Vamos
camino de casa: todo es contemplado, estudia-
do y redescubierto como si se abrazase con los
ojos a viejos amigos: la sierra a lo lejos, los árboles, las curvas del camino... Por fin, la casa o,
mejor, el convento, la casa familiar de todo religioso. Es el mismo de otros tiempos. El mundo giró y cambió. La gente cambió y giró: entre tanto, él estaba allí afincado, firme en la pequeña elevación. Tras abrazar a todo el mundo,
uno quiere ver la casa por todos los lados. Todo
en ella es importante: «Ésta era la sala...», aquí
se estudió duro; allí, en la capilla, se rezó y se
intentó, en una terrible guerra diaria contra el

sueño (uno se levantaba muy temprano en aquellos tiempos...), aferrar a Dios y discutir con Jesucristo; allá estaba la oscura biblioteca, el corredor llamado «paraíso», la celda estrecha en que se vivió. Los objetos se hacen vivos. Después, afuera: hay que saludar a los árboles, cumplimentar a los caminos en torno al saliente, y rezar a la Virgen en la gruta, como se hacía antaño, siempre a las 9,30 de la mañana. Todo vuelve a ser familiar. ¡Qué bueno es poder decir: «Por fin estoy en casa»...! Al decir esto aletea en las profundidades del alma todo lo que arquetípicamente significa cobijo, espontaneidad, simplicidad y alegría de estar en familiaridad con todas las cosas.

Porque la casa toda es un gran sacramento. Cada cosa en ella participa de esta sacramentalidad. Se vuelven también sacramentos la sala de recreo, el refectorio, las habitaciones, la biblioteca, los cuadros de la pared, las estatuas, la fresca sombra de los árboles por los paseos, las viejas escaleras. Todo es de alguna manera sagrado y sacramental. No se viola una casa; es un santuario. No se invita a alguien, sin más, a entrar en casa, porque en ella hay una sacramentalidad que sólo los iniciados en la amistad y en el amor pueden saborear con nosotros la familiaridad de todas las cosas de la casa. Considerándola con detención, la casa es un sacramento denso y fontal. A partir de ella, la ciu-

dad, y toda la región en la que la ciudad se encuentra, comienza también a volverse sacramental. El estado donde se sitúa la región, la
patria donde está el estado, el continente donde
está la patria. Finalmente, para el astronauta
que llega a la luna, la tierra en la que está el
continente: también ella es sacramental. Por
eso el astronauta Erwin pudo considerar: «La
luna es bella; el cielo, profundo y maravilloso.
Pero sólo en la tierra puede habitar el hombre.
¡Qué acogedor era aquel planeta allá abajo...!
¡Allí hay alguien que piensa en mí, me mira y
me espera!».

El sacramento fontal de la casa se va ensan-
chando en círculos que se abren cada vez más,
hasta abarcarlo todo. Tal vez, cuando el hombre
salga del sistema solar, el mismo sistema en toda su amplitud comenzará a volverse sacramental, diferente de los otros, porque dentro de él
gira la tierra, en la que hay un continente, una
patria, un estado, una región, una ciudad y una
casa familiar. En razón de esa casa vieja, con
oscuros corredores, con celdas estrechas, sin
agua corriente, franciscanamente pobre, él, de
noche, se pondrá a escuchar las estrellas y se fi-
jará en el planeta tierra, en el que se concentra
todo el sentido del universo. Es que allí está la
casa, sacramento familiar. Como se ve, el sacramento puede abarcarlo todo, en la medida en
que se abra el corazón.

8.1. Cristo, Sacramento de Dios; Iglesia, sacramento de Cristo

La Iglesia en su totalidad, como comunidad de fieles y comunidad de historia de la fe en Jesucristo resucitado, con su credo, con su liturgia, con su derecho canónico, con sus costumbres y tradiciones, con sus santos y mártires, fue siempre llamada «Gran Sacramento de la gracia y la salvación del mundo». Ella lleva dentro de sí, como don precioso, a Cristo, el sacramento fontal de Dios. Así como Cristo era el sacramento del Padre, la Iglesia es el sacramento de Cristo. Él prosigue y se hace palpable a través de ella a lo largo de la historia. En ella se mantiene siempre viva la memoria de su vida, muerte y resurrección y del significado definitivo que posee para el destino de todos los hombres. Sin ella, Cristo actuaría en la historia, estaría presente en el proceso de liberación de los hombres, alcanzaría secretamente el corazón de todos, porque él es infinitamente mayor que la Iglesia y no su divino prisionero. Pero si no hubiese Iglesia en cuanto comunidad de fieles, no habría nadie que lo sacase del anonimato para descifrar su realidad presente más recóndita, para pronunciar su nombre verdadero y para venerarlo como liberador de los hombres y Señor del cosmos. La Iglesia se vuelve sacramento en cuanto participa y actualiza constante-

mente el sacramento de Cristo. Para el hombre
de fe, ella, en su concreción histórica, es como
la casa familiar y sacramental. Lo que hace que
la casa sea casa familiar y sacramental no son
las cuatro paredes, no es el hueco dentro de ella
que nos permite habitarla. Es el espíritu, la persona que llena de vida el vacío de la casa y confiere sentido a las cuatro paredes. Entonces se
torna habitable y familiar.

Algo semejante ocurre con la Iglesia. No es
el credo, no es la liturgia, no son las institucio-
nes ni las tradiciones las que hacen que la
Iglesia sea Iglesia, sacramento de Cristo, sino
la fe en el Señor presente, que vivifica el credo,
se expresa en la liturgia, se encarna en las ins-
tituciones y vive en las tradiciones. Todo eso
constituye el sacramento, es decir, el instrumento mediante el cual el Señor, invisible en el
cielo, se hace visible en la tierra. Dentro y de-
trás de las señales sensibles (sacramentos) se
esconde la verdadera realidad salvífica de la
Iglesia: Jesucristo y su misterio. La Iglesia posee estructuras como las demás sociedades; en
ella existen leyes y doctrinas como en toda sociedad; hay orden, disciplina y moral como en
toda sociedad. Pero es diferente de las demás
sociedades, a causa del Espíritu que la anima.

Como en la casa familiar y sacramental: en
ella hay habitaciones, pasillos, mesas, cuadros
en la pared, como en todas las casas humanas.

Y, sin embargo, son diferentes, porque el espíritu que llena de afecto y significado todas estas cosas es diferente al constituirlas precisamente en familiares y sacramentales. Desde fuera, nadie ve ni distingue; sólo el corazón sabe y discierne. Algo análogo ocurre con la Iglesia: sólo la fe conoce y descubre –en las frágiles, y no raras veces contradictorias, apariencias exteriores– un secreto íntimo y divino: la presencia del Señor crucificado. Por eso los santos Padres llamaban con frecuencia a la Iglesia *«mirabile et ineffabile sacramentum»*.

Así como el sacramento fontal de Cristo era humano y divino, de forma análoga (no igual, pues en la Iglesia no se da unión hipostática), el sacramento universal de la Iglesia es también humano y divino. El elemento divino siempre se encarna en el humano, volviéndolo transparente. El elemento humano está al servicio del divino; lo vuelve histórico. De este modo, más que una organización, la Iglesia es un organismo vivo; más que institución de salvación, es comunidad de salvación.

8.2. Todo en la Iglesia es sacramental

Si la Iglesia en su totalidad, y en cuanto magnitud unitaria, es un gran sacramento, lo serán también todas las cosas que se encuentran dentro de ella. Y así, todo en la Iglesia es sacramental, porque recuerda a Cristo o hace concreta la Iglesia-sacramento: la liturgia, con sus ritos, objetos sagrados, libros, elementos materiales...; las personas, desde el Papa hasta el último fiel; la actividad de la Iglesia en el mundo, en la asistencia social, en la obra misionera, en el anuncio profético... Para los Padres, hasta la destitución de un obispo era un sacramento, lo mismo que la profesión de un religioso. Todos los gestos y palabras de la Iglesia-sacramento asumen igualmente una función sacramental: van pormenorizando, en la concreción de la vida, lo que es la misma Iglesia-sacramento.

Igual que a partir de la casa familiar y sacramental todo (la ciudad, la patria, el mismo planeta tierra) podía asumir características sacramentales, algo semejante acontece con la Iglesia. En cuanto portadora de gracia y sacramento de Jesucristo, se hace presente donde quiera que alcancen Cristo y su gracia. Cristo posee límites cósmicos, todo lo penetra y abarca: la Iglesia todo lo abarca y penetra. Es, como bien decía la Didajé, uno de los textos más antiguos del cristianismo, «un misterio cósmico». Por eso, la Iglesia puede estar limitada por sus signos y humanidad histórica, pero el misterio que penetra esa humanidad histórica y esos signos es libre y puede hacerse presente en todas las fases del mundo. A partir de aquí, los santos Padres podían hablar de Iglesia cósmica, de la Iglesia de la ley natural, de la Iglesia de las religiones del mundo, de la Iglesia del judaísmo, de la Iglesia de Jesucristo, de la Iglesia de los apóstoles y de la Iglesia de la gloria en el cielo, donde «los justos desde Adán, desde Abel hasta el último elegido, serán congregados» (*Lumen Gentium* 1,2).

La casa familiar y sacramental, vieja, con celdas estrechas y sin agua, franciscanamente pobre, a pesar de todas sus limitaciones, es agradable para vivir; es una alegría llegar a ella. A partir de ahí, el mundo tiene un sentido y todos los caminos adquieren un rumbo cierto. Lo mismo ocurre con la Iglesia: es ya anciana, llega cargada de siglos, tiene las manos encallecidas de ablandar a los hombres, no raras veces es demasiado prudente, premiosa al andar porque es lenta, lenta en comprender; a pesar de todas esas deficiencias, es en ella donde fuimos gestados, nacimos y fuimos alimentados y donde encontramos constantemente a Jesucristo y, junto con él, todas las cosas. Porque es sacramento.

9

LOS EJES SACRAMENTALES
DE LA VIDA

En la casa-sacramento todo es sacramental, pero existen densidades sacramentales: la habitación de los padres. Todos los objetos son sacramentales, pero existe un «tanque» que es un sacramento especial. Es más o menos como un templo: todo es santo, pero existe el Santo de los Santos. Emergen, por consiguiente, momentos fuertes en la casa, en los que la sacramentalidad total se hace densa y se manifiesta transparente. Así era, y sigue siendo para nosotros, el comer en familia. No se comía hasta que toda la familia estaba reunida. ¡Cuántas veces hemos esperado hasta una hora para que llegase uno de sus miembros! Porque comer no significa únicamente matar el hambre. Se come con los ojos y con el corazón. No se alimenta sólo el cuerpo, sino también el espíritu, la unión familiar y el cobijo. La comida es un sacramento

total: estrecha los lazos. Hace de muchas vidas
una sola vida: la vida familiar.

Todos los días son iguales, de veinticuatro
horas. Pero el día del aniversario es diferente,
es sacramental; se celebra el mayor de los milagros: «¡Un día comencé a vivir, y ahora vivo!». Por eso, el aniversario está cargado de
símbolos y ritos que lo hacen diferente de todos
los demás días.

En el aniversario de boda se celebra el comienzo de la historia del amor y el amor de la
historia personal. Pero no sólo se recuerda. Se
actualiza cada vez de nuevo el pasado; se forta-
lece el presente para garantizar el futuro. Por
eso es un día sacramental en el que las flores,
los abrazos y la cena asumen una función eminentemente sacramental.

9.1. Si en la Iglesia todo es sacramento, ¿por qué entonces los siete sacramentos?

Esta pregunta, legítima, puede tener respuesta
en dos niveles: uno, histórico-consciente; otro,
estructural-inconsciente.

a) El nivel histórico-consciente

Hasta el siglo XII se empleaba la palabra «sacramento» en el sentido en que lo hemos hecho

nosotros, recuperando la más antigua tradición de la Iglesia, para todo lo que se refería a lo Sagrado. A partir del siglo XII, con los teólogos Rudulfus Ardens (1200), Otto de Bamberg (1139) y Hugo de San Víctor (1141), se comenzaron a destacar, de entre los cientos de sacramentos (san Agustín enumera 304), siete gestos primordiales de la Iglesia. Eran los actuales siete sacramentos. En el sínodo de Lyon, en 1274, y en el concilio de Florencia de 1439, la Iglesia asumió oficialmente esta doctrina. Por fin, el concilio de Trento, en 1547, definió solemnemente que «los sacramentos de la nueva Ley son siete, ni más ni menos, a saber: bautismo, confirmación, eucaristía, penitencia, extrema unción, orden y matrimonio» (Sesión VII, canon 1).

Ésta es la constatación histórico-consciente, es decir, basada en los hechos conscientes. Esta explicación es legítima, pero no suficiente. No suministra el sentido y el porqué de los siete sacramentos. Es un razonamiento positivista: ¡Es así porque la Iglesia lo determinó y Jesucristo lo quiso!

Comprender no consiste en enunciar datos, sino en ver el nexo existente entre ellos y detectar la estructura invisible que los sostiene. Ésta no aparece sin más. Se capta en un nivel más profundo. Se revela a través de los hechos. Descender hasta allí a través de los datos y as-

cender de nuevo para comprender los datos es
el proceso de todo verdadero conocimiento, en
ciencia y en teología.

b) El nivel estructural-inconsciente

Al intentar contemplar los siete sacramentos en
un nivel más profundo, estructural-inconsciente, tropezamos con su verdadero significado.
La elección de los siete sacramentos, realizada
conscientemente en el siglo XII, no fue arbitraria. Articuló el sentido profundo expresado en
los ritos sacramentales y en el carácter simbólico y arquetípico del número 7. Si nos fijamos
detenidamente, los siete sacramentos traducen,
en el nivel ritual, los ejes fundamentales de la
vida humana. La vida, especialmente en su dimensión biológica, posee momentos clave. Son
una especie de nudos existenciales en los que
se entrecruzan las líneas decisivas del sentido
transcendente de lo humano. En esos nudos
existenciales, el hombre siente que la vida no se
sustenta en sí misma. Él la posee, pero como
recibida. Se siente inmerso en la corriente vital
que sobrepasa el mundo y la comunidad. Experimenta lo siguiente: yo nunca vivo, sino que
siempre con-vivo. Recibo la vida de un plato de
arroz con habas, de un poco de agua, de un gru-
pito de personas que me aceptaron en el mundo, me sostienen, me aman a pesar de mi pe-

queñez y me permiten creer que vale la pena seguir viviendo. En esos momentos clave se experimenta la participación de una fuerza que nos transciende, pero que se manifiesta en nuestra vida. Tales nudos existenciales adquieren un carácter eminentemente sacramental; por eso los rodeamos de símbolos y ritos aun en la vida más profanizada. Constituyen por excelencia los sacramentos de la vida, porque en ellos se condensa de modo transparente la vida de los sacramentos: la presencia del Transcendente, de Dios. Los ritos exteriores dan cuerpo a esta experiencia profunda y quizás hasta inconsciente. Donde se experimente radicalmente la vida, allí se experimenta a Dios.

9.2. Los siete sacramentos desdoblan y subliman los momentos clave de la vida

El nacimiento es claramente un momento fuerte de la vida. Ha llegado el niño. Es pura gratuidad. Depende de la buena voluntad de los demás el que sea aceptado en la familia y sobreviva. El bautismo desdobla esa dependencia en cuanto dependencia de Dios y la sublima como participación en la vida de Cristo.

Otro momento clave de la vida es aquel en que el niño, ya crecido y libre, se decide. Ya maduró; entra en la sociedad de los adultos.

Ocupa su lugar en el mundo profesional. Se trata de un giro importante de su vida en el que se juega, en parte, su destino. El hombre siente de nuevo que depende de una fuerza superior; experimenta a Dios. El sacramento de la confirmación es el sacramento de la madurez cristiana. Explicita la dimensión de Dios presente en este eje existencial.

Sin alimento, la vida no se mantiene. Cada comida permite al hombre hacer la experiencia gratificante de que su ser está ligado a otros seres. Por eso, la comida humana va rodeada de ritos. La eucaristía desdobla el sentido latente del comer como participación de la misma vida divina.

Otro eje existencial lo constituye el matrimonio. El amor vive de la gratuidad mutua. Los lazos que lo unen son frágiles, porque dependen de la libertad. Se hace una experiencia que escapa al hombre, la de la garantía de la fidelidad. Depende e invoca la fuerza superior que es Dios. El sacramento explicita la presencia de Dios en el amor.

La enfermedad puede amenazar la vida humana. El hombre percibe su limitación. De nuevo experimenta su dependencia. El sacramento de la unción de los enfermos expresa el poder salvífico de Dios.

Existe una experiencia profunda que realiza todo hombre: la experiencia de la ruptura culpable con los otros y con Dios. El hombre se siente dividido y perdido y anhela la redención y la reconciliación con todas las cosas. El sacramento del retorno (penitencia) articula la experiencia del perdón y el encuentro entre el hijo pródigo y el Padre bondadoso.

Vivir en un mundo reconciliado y no fracturado, poder realizar la reconciliación universal y la paz: he ahí el secreto deseo que inspira la búsqueda de la felicidad. El sacramento del orden unge a la persona para que viva la reconciliación y la consagra al servicio comunitario para la construcción de la reconciliación.

Cuando en el siglo XII los teólogos llegaron a determinar el número de los ritos fundamentales de la fe, eran llevados por el inconsciente colectivo de la vida y de la fe. La Iglesia-sacramento extiende su acción sobre toda la vida, pero de modos diversos. Se hace presente en momentos clave de la existencia, allí donde la vida experimenta sus raíces más profundas. Allí explicita ella la presencia de Dios, que bondadosamente nos acompaña. Son los ritos esenciales de la fe, gracias a los cuales se realiza la misma esencia de la Iglesia como señal de la salvación en el mundo. Una vez realizada la esencia de la Iglesia, la teología puede detectarla y determinarla: siete son los sacramentos esenciales de la fe. En los principales nudos

existenciales de la vida se concretan los principales sacramentos de la fe. La vida está grávida de la gracia.

9.3. ¿Qué significa el número siete?

El concilio de Trento definió: «Los sacramentos
son siete, ni más ni menos». Hemos de comprender bien esta definición. Lo esencial no es el
número 7, sino los ritos contenidos en esta enu-
meración. El número exacto de los ritos no es lo
esencial. Si alguien dijera que son nueve, porque
el diaconado y el episcopado constituyen verdaderos sacramentos, o si afirmara que son seis,
porque el bautismo y la confirmación forman un
único sacramento de iniciación en diversos grados, no habría negado la definición de Trento.
Pero habrá de afirmar que la confirmación es un
sacramento y que todos estos ritos hacen presente y comunican la gracia de Dios. Hay que entender el número 7 simbólicamente. No como
una suma de 1 + 1 + 1, etc., hasta siete, sino como el resultado de 3 + 4. La psicología profunda, el estructuralismo, pero ya antes la Biblia y
la Tradición, nos enseñan que la suma de los nú-
meros 3 y 4 forma el símbolo específico de la totalidad de una pluralidad ordenada.

El 4 es símbolo del cosmos (los cuatro elementos: tierra, agua, fuego y aire), del movi-

miento y de la inmanencia. El 3 es el símbolo de lo Absoluto (Trinidad), del espíritu, del descanso y de la transcendencia. La suma de ambos, el número 7, significa la unión de lo inmanente con lo transcendente, la síntesis entre movimiento y descanso, y el encuentro entre Dios y el hombre, es decir, el Verbo encarnado de Dios, Jesucristo. Con el número 7 queremos expresar el hecho de que la totalidad de la existencia humana en su dimensión material y espiritual está consagrada por la gracia de Dios. La salvación no se restringe a siete cauces de comunicación; la totalidad de la salvación se comunica a la totalidad de la vida humana y se manifiesta de forma significativamente palpable en los ejes fontales de la existencia. En eso reside el sentido fundamental del número 7.

Cada vez que descendemos a la profundidad de nuestra existencia, ya sea asistiendo a la emergencia de nuestra vida, ya sea viéndola crecer, conservarse, multiplicarse, consagrarse, recuperarse de las rupturas demoledoras..., no tocamos únicamente el misterio de la vida, sino que penetramos en aquella dimensión de Sentido absoluto que llamamos «Dios» y en la de su manifestación en el mundo, que denominamos «gracia». En la conjunción de la vida con la Vida se realiza el sacramento. La Vida vivifica a la vida. Gracias al sacramento.

10

¿En qué sentido es Jesucristo el autor de los sacramentos?

EL nuevo rostro de la Iglesia ha quedado indiscutiblemente ligado a la figura del buen papa Juan. El concilio Vaticano II, que estableció los marcos teológicos, orientadores de la reforma de la Iglesia, fue fruto de su esfuerzo y actuación. Los historiadores futuros hablarán ciertamente de la era del papa Juan XXIII. Lo señalarán como el autor de un nuevo, grandioso y valiente ensayo de encarnación de la fe cristiana en el espíritu del mundo moderno. Es autor verdadero, en el sentido riguroso de la palabra. No de cada acción llevada a cabo después de él, pero sí del horizonte que hizo posible la nueva orientación de la Iglesia. Así es el autor del espíritu ecuménico, del diálogo abierto entre la Iglesia y el Mundo, del espíritu de servicio simple, jovial y desnudo de todo triunfalismo, de la revalorización religiosa de todo cuanto de auténtico y verdadero ha producido la civilización moderna, etc.

De forma semejante, el papa Pablo VI es autor de la famosa encíclica *Populorum Progressio,* no porque haya escrito de propio puño y letra este decisivo documento: posiblemente no tendría la preparación técnica suficiente. El autor literario es conocido, el P. Lebret y su grupo. Sin embargo, decimos, con justa razón, que el papa Pablo es el autor de la encíclica; lleva su firma y el signo de su suprema autoridad. Es el autor porque es el origen último de todo el proceso que desembocó en la encíclica social. Es autor porque asumió y confirió autoridad oficial al mensaje contenido en el documento.

El presidente Vargas fue el autor de la revolución de 1930, autor de la nueva era de la historia patria, caracterizada por la industrialización, por el nacionalismo, por el populismo, por la conquista de los derechos fundamentales de los obreros, del salario mínimo, del sindicalismo, de la seguridad social, etc. Vargas es autor, no porque haya hecho o realizado todas las acciones revolucionarias, sino porque fue el creador de aquella atmósfera y aquel camino que condujeron a profundas modificaciones en la fisonomía política y social del Brasil.

10.1. «Los sacramentos fueron instituidos por Jesucristo Nuestro Señor»

El concilio de Trento definió solemnemente que los sacramentos cristianos fueron instituidos por Jesucristo Nuestro Señor (DS 1.601; cf. 1.804, 2.536). Esta afirmación es fundamentalmente cierta y, sin embargo, debe ser correctamente comprendida en el sentido que Trento le confirió. Hubo épocas en la reflexión teológica, todavía ampliamente reflejadas en los manuales, en que se tomó esta afirmación de Trento en el sentido exclusivamente sintáctico, sin intentar entender más profundamente su exacto significado semántico y pragmático. Se buscaba entonces en las páginas del Nuevo Testamento una palabra de Cristo en favor de la institución de cada uno de los siete sacramentos. Los textos eran violentados, y las inteligencias no se aclaraban más, a pesar de las agudezas y sutilezas de la razón teológica.

La teología moderna, uniéndose a la más antigua tradición de los santos Padres, amplió el horizonte en el que deben ser pensados y comprendidos los sacramentos. Pretende haber encontrado las verdaderas razones que le permiten reafirmar la autoría de Jesucristo con respecto a los sacramentos. Veámoslo rápidamente.

Los sacramentos no deben ser considerados, en sí mismos, como átomos aislados. El sacramento individual, como el bautismo, por ejemplo, es la condensación y corporeidad del «sacramento de la voluntad del Padre» (Ef 1,9), es decir, de la economía de la salvación, del plan salvífico de Dios, del único misterio-sacramento, como decían los santos Padres: san León Magno, san Cipriano y san Agustín. El plan salvífico de Dios, denominado «sacramento» o «misterio», se mediatiza en gestos, ritos o acciones que encarnan, visibilizan y comunican la salvación. Estas acciones, ritos o gestos son denominados también sacramentos. En la medida en que el plan salvífico tiene por autor al Verbo eterno y preexistente, podemos decir que todos los sacramentos, en su referencia última, provienen del Verbo eterno. Las expresiones sacramentales son históricas y culturales. El hombre se expresa por medio de ellas, pero la fuerza salvífica que ellas contienen proviene del Verbo eterno. En este sentido, todos los sacramentos, como descubrió agudamente san Agustín, son sacramentos cristianos. También los realizados por los paganos en las religiones del mundo. Ellos también historifican la gracia salvífica de Dios y el plan de amor del Padre, que lleva a cabo por medio de Jesucristo, en quien todo existe y por quien todo fue hecho (Col 1,15-20; Jn 1,3). El Verbo eterno estaba siempre actuando a lo largo de toda la historia, y ésta está grávida de Jesucristo.

Los sacramentos paganos, en su última realidad, no son paganos. «Pagano» es un concepto sociológico, no teológico. Sociológicamente, pagano es el que no fue bautizado y al que, por tanto, estadísticamente, no se le computa entre los cristianos. Teológicamente, no hay paganos, porque no hay nadie que pueda sustraerse al influjo del Verbo eterno, ya que él es la luz verdadera que ilumina a todo hombre que viene a este mundo (Jn 1,9). Los sacramentos cristianos articulados en las religiones del mundo apuntaban verticalmente hacia el Verbo eterno. Eran sacramentos de Dios. Comer era participar sacramentalmente de la divinidad. Bautizarse significaba sumergirse en la vida divina. Generalizando, podemos decir que los sacramentos que hoy poseemos en la Iglesia ya preexistían con anterioridad a ésta. El hombre de todos los tiempos se relacionaba sacramentalmente con la divinidad (Verbo eterno). Las formas eran diversas, pero la salvación comunicada era idéntica a la que se desborda de forma plena e infalible en los sacramentos de la Iglesia.

10.2. De los sacramentos de Dios
a los sacramentos de Cristo

Cuando los sacramentos de Dios (Verbo eterno), que apuntan verticalmente hacia arriba, se
relacionan e insertan en la historia de Jesucristo, que se inscribe horizontalmente como cualquier otra historia, se vuelven sacramentos específicamente cristianos. Los sacramentos poseen una dimensión religioso-cultural, preexis-
ten a la explicitación típicamente cristiana, fueron elaborados históricamente. Antes de la Iglesia existía bautismo, mediante el cual los hombres manifestaban un renacer exigido por la divinidad; existía matrimonio, mediante el cual
expresaban la presencia del Amor divino en el
amor humano. Existían, como ya consideramos
anteriormente, los ejes existenciales con su
densidad sacramental, reveladora del Misterio
presente. Eran sacramentos divinos y latentemente cristianos.

La fe cristiana, gracias a Jesucristo, descubrió su relación con el Dios encarnado, los reli-
gó al misterio del Verbo hecho hombre y los in-
jertó en la historia que viene desde Jesucristo.
La dimensión vertical se entrecruzó con la dimensión horizontal. El sacramento cristiano es
ese encuentro. Por un lado, supone y asume el
sacramento divino que preexiste en las religiones; por otro, descubre una realidad presente en

esos sacramentos divinos, pero escondida para las religiones y ahora manifiesta a través de la luz del misterio de Cristo: la presencia del Verbo eterno actuando a través de los sacramentos divinos. Pero no sólo esto. También inserta estos sacramentos en la historia de Jesucristo de tal forma que Cristo asume una autoría específica. Bautizarse ya no significará participar de la Divinidad, sino sumergirse en la vida de Jesucristo. Comer el banquete sagrado ya no será comulgar con la Divinidad, sino comer el Cuerpo del Señor y participar en su existencia resucitada. Casarse ya no significa simbolizar la unión de Dios con los hombres, sino simbolizar la unión de Cristo con la humanidad fiel. De los sacramentos divinos se pasa a los sacramentos explícitamente cristianos.

10.3. En qué sentido es Jesucristo el autor de los sacramentos

Por lo expuesto queda claro en qué sentido debe ser considerado Cristo autor de los sacramentos. En primer lugar, en cuanto Verbo eterno, era siempre él quien se comunicaba como amor y salvación en los ritos que expresaban las relaciones de los hombres con el Sublime. En segundo lugar, en cuanto Verbo encarnado y

eterno, dentro de la historia concreta, quedó de
manifiesto que todo está vinculado a su misterio. Por eso, todo posee una profundidad crísti-
ca. En tercer lugar, por lo menos con respecto a
tres sacramentos (bautismo, eucaristía y penitencia), el mismo Cristo estableció una referencia explícita a sí mismo. Estos tres sacramentos
pertenecen a los ejes fundamentales de la vida
humana, mediante los que el hombre se siente
de modo especial referido al Transcendente y a
Jesucristo. Considerándolos con detención, los
tres se sitúan en la raíz misma de la vida: el
bautismo representa el nacer de nuevo en
Jesucristo; la eucaristía, el alimento de la nueva
vida en Jesucristo; la penitencia, el renacer de
la vida que se vio amenazada por una muerte
fatal. Insertos en Jesucristo, los sacramentos
comunican la vida de Jesucristo. No era otro el
sentido intentado por el concilio de Trento
cuando se refería a la institución de los sacramentos por parte del Señor. No intentó emitir
un juicio histórico ni sustituir el esfuerzo de los
exegetas, sino que, como queda patente en los
protocolos y actas del concilio, entendió el término «instituir» en el sentido siguiente: es
Jesucristo quien confiere eficacia al rito celebrado. No quiso definir la institución del rito,
sino la fuerza salvífica del rito, que no procede
de la fe del fiel o de la comunidad, sino de Jesucristo presente.

Al querer la existencia de la Iglesia, sacramento universal de salvación, Cristo quiso también la existencia de los sacramentos que particularizan, en lo concreto de la vida, el sacramento universal. En este sentido, no deseó únicamente los siete sacramentos, sino la misma estructura sacramental de la Iglesia. Esto significa que deseó la visibilización de la gracia en términos de ritos, actividad de servicio, de testimonio, de santificación entre los hombres. En este cuarto sentido podemos hablar de Cristo como autor de los sacramentos en cuanto que es autor del Sacramento Universal de la Iglesia. Los ejemplos arriba aducidos –del papa Juan, de Pablo VI y de Vargas– tal vez nos iluminen el horizonte dentro del que hemos de comprender también la autoría de Jesucristo respecto de los sacramentos.

Todo es de Cristo. Él no sólo introdujo lo nuevo –Él mismo y su resurrección–, sino que vino a revelar la santidad de todas las cosas. Todo está lleno de Él, ayer, hoy y siempre. Poder captar su actuación y eficacia en todas las articulaciones de la historia de los hombres, especialmente allí donde el hombre más se revela a sí mismo en cuanto hombre, constituye lo específicamente cristiano. Saber relacionar los sacramentos «naturales» con el misterio de Cristo: en eso reside la especificidad del sacra-

mentalismo cristiano. Todo cuanto es verdadero, santo y bueno, ya es cristiano, aun cuando
no se arrogue tal nombre. Nada es rechazado;
todo es asumido; todo es leído a la luz de la historia del misterio de Cristo. Ésa es la transfigu-
ración: todo se convierte, manteniendo su diferencia propia, en sacramento cristiano, en algo
que viene de Cristo y conduce hacia Cristo.

11

El sacramento de la palabra dada

La palabra no es primariamente un medio
para comunicar a otro esto o aquello. Antes de
comunicar mensajes, la palabra ya comunicó a
la persona misma que habla. La palabra define
a la persona. La palabra es la misma persona,
porque la persona es, esencialmente, comunicación. Pero hay personas –pocas– que toman
conciencia de esta profunda realidad. Para
ellas, la palabra se configura como algo absolutamente sagrado. La palabra merece respeto,
porque toda persona merece respeto. Para la
gran mayoría, sin embargo, la palabra no pasa
de ser un instrumento para comunicar mensajes, mensajes interesados, mensajes que a veces
contaminan los cauces de comunicación y de
encuentro entre los hombres. Hay palabras que

se pronuncian para esconder los pensamientos, en lugar de comunicarlos.

El señor Gómez es un empresario con éxito. Los negocios lo han relacionado con hombres en las más diversas situaciones y con los más diversos intereses. En toda su manera de ser prevalece una profunda serenidad, fruto de un diálogo constante con su interioridad. Parece uno de esos místicos chinos montado sonriente a lomos de un león salvaje; es decir, es un hombre maduro que dominó sus pasiones violentas y las convirtió en fuerzas constructoras del proyecto humano integrado. Su palabra puede ser encantadora y dulce como las lágrimas de ternura, pero puede ser dura y cortante como una espada. Tanto la dulzura como la dureza se armonizan en el control perfecto de quien es siempre señor de la situación. Pero lo más admirable en el señor Gómez es el valor y el peso que pone en las palabras. La palabra escrita es cristalina; no hay en ella ambigüedad alguna. Escribe enumerando: primero, segundo tercero...

En medio de la claridad matemática, apunta, aquí y allá, la palabra que no comunica mensajes, propuestas, datos, contratos..., sino a la persona misma: «La vida es dura. No transige con nadie. Los verdaderos valores nacidos de la benevolente gratuidad de Dios y del esfuerzo humilde y paciente del hombre deben poder salir a la luz. Estamos aquí para servir». Existe siempre una luz bienhechora que logra atravesar la espesura de la selva y animar la planta que busca insaciablemente la altura. Pero además, para el señor Gómez, más importante que la palabra escrita es la palabra hablada. Palabra dada, historia contada. Le cuesta decir la palabra decisiva y esencial; consulta, analiza, se toma su tiempo, estudia personas y situaciones... Una vez dada la palabra, se ha jugado el todo por el todo. Podrá perder dinero, podrá ser incomprendido, podrá cancelar contratos y documentos a su favor: la palabra dada es un sacramento, es sagrada, definió a la persona, ya no puede ser borrada del espacio.

Lo que para algunos constituye un argumento a favor de la irrelevancia de la palabra pronunciada –(*vana verba*) el que se pierda en el espacio sin volver más– constituye para el señor Gómez, justamente, el argumento a favor de su sacralidad. Una vez pronunciada, sale, circula por el mundo, jamás se pierde, porque alcanza al eterno y fija a la persona en lo definitivo. La palabra escrita puede ser tachada, borrada destruida. La palabra hablada, no. Es inviolable. Ya nadie la controla; es transcendente. Pronunciada en su densidad personal máxima, mantenida como se mantiene la vida y la honra, es por excelencia el sacramento revelador y comunicador de cada persona. El señor Gómez es lo que es su palabra: maduro, recto, veraz,

creador de verdadera comunicación. La palabra
es lo que es el señor Gómez: eficaz, densa, pe-
sada, decisiva y generadora de actos que modi-
fican la vida.

11.1. Los sacramentos actúan
«ex opere operato»: ¿cómo entenderlo?

Con las reflexiones que hemos hecho hasta
ahora debe haber quedado claro que el sacramento visibiliza, comunica y realiza lo que significa. El «tanque» hace presente el agua que
saciaba la sed de toda la familia. No sólo hace
presente, sino que aún hoy realiza, en razón de
su virtud sacramental, el mismo efecto en todos
aquellos en cuyas historias penetró. El pan fa-
bricado por la madre comunica y realiza lo que
significa para toda la familia: no sólo acalla el
hambre, sino que sacia otro hambre más fundamental, el de la comunión fraterna y la de la
unidad. El agua del bautismo no expresa únicamente la purificación y la vida que se alimenta
del agua: habla de la nueva vida y de la purificación que el misterio de Cristo trajo a los hombres. El pan eucarístico no sólo visibiliza la comida cotidiana de la mesa de los hombres, sino
que hace presente, comunica y realiza, en medio
de la comunidad de fe, el Pan del cielo que es
Jesucristo. Y esto acontece gracias a la presen-

cia misma del pan, que evoca al hombre de fe la comida celestial y, evocándola, la presentiza.

La tradición de fe siempre defendió que la gracia divina esta infaliblemente presente en la realización del sacramento, con tal de que sea realizado en fe y con la intención de comunión con la comunidad universal de los fieles. La presencia de la gracia divina en el sacramento no depende de la santidad del que administra el sacramento o del que lo recibe. La causa de la gracia no es el hombre y sus méritos, sino únicamente Dios y Jesucristo. Se dice, por tanto, que el sacramento actúa «ex opere operato», es decir, una vez realizado el rito sacramental y efectuados los símbolos sagrados, Jesucristo actúa y se hace presente. No en virtud de los ritos por sí mismos, pues no tienen poder ninguno (únicamente simbolizan), sino en virtud de la promesa del mismo Dios. Si no fuese así, se trataría de pura magia. Según ésta, los gestos sagrados poseen una fuerza secreta en sí mismos, que actúa favorable o desfavorablemente sobre los hombres.

El sacramento es profundamente diverso de la magia. En el sacramento se cree que Dios asume los sacramentos humanos, como el pan o el agua, para, a través de ellos, producir un efecto que supera sus propias fuerzas. El pan sacia el hambre y simboliza el cobijo familiar; en la eucaristía, Dios asume ese simbolismo preexistente, lo eleva a la dimensión divina y hace que el pan sacie el hambre salvífica del hombre y realice la comunidad de los redimidos. El «*ex opere operato*» (traducido literalmente: en virtud del propio rito realizado) es una expresión ambigua, pero que fue siempre comprendida por la Iglesia sin ambigüedad mágica. Negativamente, quiere decir que la gracia sacramental no es causada en virtud de ninguna acción o poder del que administra o del beneficiario, sino que es causada por Dios mismo. Es Cristo quien bautiza, quien perdona y quien consagra. El ministro le presta sus labios indignos, le presta su brazo, que puede realizar obras malas, y le presta su cuerpo, que puede ser instrumento de maldad. La gracia acontece en el mundo siempre victoriosa, independientemente de la situación de los hombres. Positivamente, significa que, una vez realizado el rito sagrado, tenemos la garantía de que Dios y Jesucristo están ahí presentes.

11.2. Cristo es la palabra de garantía que Dios dio a los hombres

Esta fe en el poder de los sacramentos, ejes fundamentales de la vida, radica en un dato cristológico y eclesiológico. Jesucristo, muerto y resucitado, es el sí y el Amén que Dios concedió a las promesas hechas a los hombres (cf. 2 Co 1,19). En Él y por Él, Dios nos aceptó y perdonó. Jesús es la palabra de garantía de salvación que Dios pronunció para cada uno. Antes de Cristo, el hombre vivía de la esperanza acerca del buen fin de su vida y de su muerte. En la resurrección se percató, de hecho, de que Dios nos había aceptado definitivamente.

Quedó exorcizado el miedo, y fueron desterradas las amenazas. En Él, la victoria del amor y el triunfo de la gracia se impusieron para siempre. Como ya dijimos, por ser Jesucristo todo eso, puede ser considerado y llamado «Sacramento Originario y Fontal de Dios y de Su Salvación». La Iglesia, sacramento de Cristo, prolonga su sacramentalidad hacia la historia. En ella se conserva el misterio cristiano en toda su explicitación. Los sacramentos son gestos de la Iglesia con los que alcanza al hombre en sus ejes vitales decisivos. Ellos concretizan y detallan el sacramento universal de la Iglesia; realizan la esencia de la Iglesia en lo concreto de las situaciones del nacimiento, de la crianza, de la maduración, del perdón, del amor, de la muerte, etc. Son principalmente gestos de Cristo a través de su cuerpo, que es la Iglesia: gestos de garantía permanente, definitiva, sensible y reconocible de la gracia para el hombre concreto. Independientemente del mérito o demérito del hombre, Dios nos pronuncia su sí categórico.

El «*ex opere operato*» no pretende sino destacar con todo énfasis esta verdad. Dios nos amó primero, cuando aún éramos sus enemigos, con un Amor gratuito y total, en Jesucristo, en la Iglesia y en los siete sacramentos. A semejanza del señor Gómez, que al dar su palabra compromete en ella toda su honra, porque la palabra dada vale más que todos los contratos, por más completos que sean jurídicamente, Dios pronunció en Jesucristo la Palabra que lo comprometió totalmente, y los sacramentos quieren dar concreción a lo que esto significa en las diversas situaciones de la vida humana. Los ritos con que rodeamos los nudos vitales y existenciales no son meros instrumentos de la gracia; son ya la misma gracia visible, significan la erupción y la explosión del acto salvador de Dios dentro de la historia. Al celebrarlos, saboreamos ya, de forma anticipada, el definitivo triunfo de Dios sobre toda la maldad humana. Gracias al sacramento.

12

EL SACRAMENTO DE LA RESPUESTA DADA Y DEL ENCUENTRO CELEBRADO

Las familias de los Savoldi y de los Rothaus eran famosas en la pequeña ciudad. Gentes de carácter fuerte y violento, trabajadores honestos. Pero, desde hacía años, la discordia crecía entre ellos. Dos personas de cada familia ya habían muerto asesinadas. Parientes cercanos habían sufrido también los efectos. Parecía casi la historia de las familias de Romeo y Julieta. Todo se originó con la discusión a propósito de una boda celebrada entre ambas familias. Hubo intercambio de acusaciones. Aumentaron los chismorreos maliciosos. La atmósfera de odio llegó hasta el crimen. El párroco consiguió que la familia de los Savoldi estuviese dispuesta a la reconciliación. Todo fue facilitado gracias a la hija monja y al hijo seminarista. Se llegó a un verdadero espíritu de perdón. Se hicieron varias intentonas con los Rothaus. Todo en vano. Las ofertas de paz eran respondidas con renovadas amenazas. La reconciliación no tenía lugar, ni se hacía presagiar a pesar de toda la buena voluntad de los Savoldi. Si cuando dos no quieren no hay disputa, de la misma manera si dos no quieren, no puede haber reconciliación. De nada sirve el sol si la planta está marchita. De nada vale el agua si el terreno es pedregoso. De nada vale hablar si el otro no quiere oír.

Pero si la planta es vigorosa, el sol generoso la hará aún más verde. Si el terreno es tierra fértil, el agua hará que broten las semillas. Si alguien acoge el mensaje de otro, habrá posibilidad de encuentro, de encuentro y amistad; de la amistad surgirá el amor; del amor, todo cuanto hay de grande en la tierra. Pensándolo bien, ningún ser vive en solitario, ni siquiera las piedras: o están escondidas en el vientre de la tierra, o son batidas por vientos ululantes, o golpeadas por las olas del mar. Todo vive de un encuentro. En el encuentro del cielo y la tierra, de lo masculino y lo femenino, del hombre y de Dios, florece y crece la realidad entera de la creación.

No podría suceder de forma diversa en el sacramento. En cierta ocasión, llegaron a la ciudad unos misioneros capuchinos. Hubo sermones rigurosos durante más de quince días. Les contaron la disensión entre los Savoldi y los Rothaus. Un misionero trabajó con persuasión a las dos familias. Y aconteció el milagro de la reconciliación. Los brazos se abrieron, y hubo una gran confraternización familiar. El vino alegró el corazón de todos y permitió enterrar las viejas amarguras. Noticias de la ciudad me hacen, aún hoy, saber que la armonía y la paz sonríen entre los Savoldi y los Rothaus.

12.1. El sacramento es pro-puesta de Dios y también res-puesta humana

La teología del «*ex opere operato*» intenta afirmar la propuesta siempre presente de Dios. Ésta no se deja vencer por el rechazo humano; se mantiene permanentemente como ofrecimiento definitivo a los hombres. Pero el sacramento no está sólo constituido por la iniciativa de Dios. Es también res-puesta del hombre a la propuesta divina. Sólo en la acogida humilde del fiel, el sacramento se realiza plenamente y fructifica en la tierra humana empapada de la gracia divina. El sacramento emerge, fundamentalmente, como encuentro del Dios que desciende hacia el hombre y del hombre que asciende hacia Dios. Sin ese entrecruzamiento, el sacramento sería imperfecto. De ahí que no baste con destacar el «*ex opere operato*». Urge recalcar la necesidad de apertura humana, el «*non ponentibus obicem*» del concilio de Trento, que reafirmó fuertemente ambos aspectos: la certeza indestructible de la benevolencia divina que jamás se niega, aun a pesar de la oposición humana, y la urgencia de la conversión y la remoción de todos los obstáculos para que el encuentro divino-humano acontezca, y se realice plenamente el sacramento. La gracia del sacramento, enseñaban los padres conciliares, es conferida a quien no le pone impedimentos (DS 1.606). En caso contrario, se visibiliza la gracia, se hace el gesto indicador de la presencia del Señor en nuestro medio, pero no es acogido, sino que se encuentra con las puertas cerradas, y se repite el drama de Navidad: vino a lo que era suyo, y los suyos no lo recibieron: porque no había lugar para él en la posada... (Jn 1,11; Lc 2,7).

12.2. El encuentro sacramental acontece... pero se prepara largo tiempo

Tal como ha quedado de manifiesto, el sacramento no es únicamente el rito. Para su plena realización supone toda una vida que se abre como la flor a la luz, o como el girasol que va acompañando el recorrido del sol. El proceso de conversión y de búsqueda de Dios forma parte esencial del sacramento. No debemos imaginarnos el sacramento estáticamente y limitado temporalmente al momento de realización del rito. La ceremonia es la culminación de la montaña de la vida. Antes está la subida, después el descenso. Todo ese proceso pertenece al sacramento. El hombre va descubriendo a Dios y su gracia en los gestos significativos de la vida. Se va abriendo; va acogiendo su venida; va festejando su epifanía. Hasta que, en la ceremonia oficial de la comunidad de la fe, celebra y saborea la diafanía entre los velos frágiles de los elementos materiales y de las palabras sagradas. Tras la ceremonia sacramental, el fiel vive de la fuerza extraída de ella y prolonga el sacramento en la vida. La gracia lo acompaña bajo otros signos, llevándolo de búsqueda en búsqueda y de encuentro en encuentro, hasta un último y definitivo abrazo.

Sin la conversión, la celebración del sacramento es una ofensa hecha a Dios. Es tanto como arrojar perlas a los puercos el pretender situar los gestos de máxima visibilidad de Cristo en el mundo sin la adecuada purificación interior. Un encuentro semejante hay que esperarlo con el corazón en la mano. Tal amor hay que esperarlo con un corazón puro; una fiesta semejante, con un corazón reconciliado. Sin la preparación, el encuentro es formalismo; el amor, pasión; la fiesta, orgía.

12.3. Sacramento y proceso de liberación

Quien comulga debe ser elemento de comunión en el grupo en el que vive. Quien celebra el sacrificio de Cristo y su muerte violenta debe estar dispuesto al mismo sacrificio y vivir de tal manera su fe cristiana que implique, como cosa normal, el ser perseguido, apresado y muerto violentamente. Quien bautiza y se deja bautizar ha de ser en la comunidad un testimonio de fe. Quien busca la reconciliación y encuentra el perdón en el sacramento del retorno deberá ser signo de reconciliación en medio de los conflictos de la sociedad. ¿Cómo podrá, con corazón sincero, buscar y encontrar reconciliación privadamente en el sacramento si fuera, en la vida, en su trabajo, en su empresa, sigue explotando al hermano, pagando salarios indignos y tratando a los hombres como si fueran objetos negociables? Una reconciliación sacramental que no se refleje en una exigencia de cambio de vida es irrelevante. Ofende a Dios, más que glorificarlo. No sin razón advertía Pablo: sacramento sin conversión es maldición; sacramento sin preparación es condenación (cf. 1 Co 11,27-29).

Sin embargo, si se prepara a lo largo de días, su celebración significará la expresión fuerte de la vida iluminada por la fe y comunicará la Vida que vivificará la fe y la vida.

El sacramento, en consecuencia, exige compromiso. Por lo demás, para los primeros cristianos de lengua latina, la palabra «*sacramentum*» significaba ya exactamente un compromiso: compromiso de cambio en la praxis; conversión que no era sólo una apropiación de nuevas convicciones acerca de Dios, del destino del hombre o de la esperanza de su liberación por medio de Jesucristo. La conversión era, antes que nada, un compromiso mediante nuevas actitudes que disponían a los cristianos contra el *status* social de su tiempo: los hacía subversivos en contra de los valores religiosos paganos, en contra de la adoración divina de los emperadores y de la ética familiar vigente. En la Iglesia primitiva, únicamente recibía el sacramento del bautismo (el rito) quien se comprometía al «*sacramentum*» del martirio. Por medio de la palabra «*sacramentum*» se expresaba esa actitud comprometida. Después, la palabra «*sacramentum*» comenzó a ser usada para el rito que expresaba esa actitud comprometida, como el rito del bautismo, del matrimonio, de la eucaristía. De esta forma se percibe claramente que el sacramento significa la culminación de todo un proceso de conversión, de compromiso y de servicio a la causa renovadora y liberadora de Cristo. El rito, sin el compromiso que supone, encarna y expresa, es magia y mentira ante los hombres y ante Dios.

13

Lo dia-bólico y lo sim-bólico en el universo sacramental

Un hombre apareció en Galilea y anunció que este mundo tiene un sentido eterno, que el destino de la vida es la Vida y no la muerte; que la felicidad que se espera de Dios es para los que lloran, para los perseguidos, calumniados y torturados; que este mundo tiene un fin bueno y que ya está garantizado por Dios. En Galilea proclamó una gran alegría y una buena noticia para todo el pueblo. Era el Hijo de Dios encarnado, Jesucristo, nuestro liberador. Hizo el bien, curó, perdonó pecados, generó esperanza, resucitó muertos, amó a todo el mundo. A pesar de ello, fue motivo de escándalo. Como decía el experimentado y santo viejo Simeón: este niño será motivo de escándalo, de perdición y salvación para muchos en Israel (cf. Lc 2,34). En efecto, algunos lo consideraron bebedor y co-

milón (Mt 11,19), frecuentador de grupos sos-
pechosos (Mc 2,16), subversivo (Lc 23,2), he-
reje (Jn 8,48), loco (Mc 3,20), poseso (Mc
3,22), blasfemo (Mc 2,7)... Otros, por el contrario, lo tuvieron por maestro, justo, santo, el
Liberador, el Enviado de Dios, el Salvador del
mundo, el mismo Dios presente... Como se decía en la Iglesia primitiva: para algunos, él es
piedra de tropiezo que es retirada del camino y
arrojada lejos; para otros es piedra angular sobre la que se construye un edificio sólido (cf. 1
Pe 2,6; Rm 9,33; Lc 20,17; 1 Co 3,11).

En la actuación de Jesús se percibe un elemento sim-bólico que, como bien insinúa la
misma palabra, congrega, unifica y apunta hacia Dios. Los que tenían un corazón recto bus-
caban con sinceridad la salvación y aguardaban al Liberador definitivo de la condición humana decadente, comprendieron y acogieron a
Jesús. Descubrieron quién era y dieron testimonio de él: «Tú eres el Mesías, el Hijo de
Dios vivo» (Mt 16,17). A pesar de su aparien-
cia pequeña, de su origen humilde, de la debi-
lidad de Jesús. Con ellos se alegró hasta excla-
mar: «Felices los que no se escandalizan de
mí» (Lc 7,23; Mt 11,6).

Los que estaban atados a sus verdades y tradiciones, los vinculados a intereses sociales y
religiosos, los instalados y satisfechos con sus
vidas, los que no esperaban nada, porque lo te-

nían todo, los que aguardaban a que llegase el Mesías para confirmar sus privilegios, tradiciones, dogmas y convicciones..., todos ellos vieron en Jesús un elemento dia-bólico. Tal como la palabra dia-bólico sugiere, pensaban que Jesús separaba, dividía, ponía en peligro la religión y el Estado. Y tenían razón: Jesús cuestionaba, exigía conversión, no legitimaba el *status quo* social o religioso. Postulaba un nuevo modo de relación de los hombres entre sí y de todos con Dios. Esas exigencias fueron percibidas por los detentadores del poder sagrado, jurídico y social: aceptar a Jesús implicaba cambiar de praxis; era un riesgo muy grande. Entonces, como hoy, era más fácil aislar y liquidar al reformador que emprender la reforma. Por eso Cristo fue difamado, perseguido, preso, torturado y crucificado.

Él era el sacramento de Dios en el mundo; sacramento de luz. La luz deja al descubierto las oscuridades de la casa, deja todo al descubierto. O el hombre acoge la luz y se transforma en hijo de la luz, o la difamará e intentará apagarla. Porque hace daño, molesta a los ojos. La luz no tiene la culpa de brillar y señalar las oscuridades y dejar descubierto lo que se intentaba esconder. Como toda señal, la luz puede ser comprendida o incomprendida. Propio de la esencia de una señal es ser símbolo para quien quiera entenderla o ser diábolo para quien no

quiera. Es el riesgo inmanente a toda señal.
Jesucristo, la señal mayor, última y definitiva
de Dios, no escapó a este riesgo.

13.1. El momento sim-bólico
en el sacramento

El sacramento tiene un momento sim-bólico: el
de unir, recordar y hacer presente. En primer
lugar, el sacramento supone la fe. Sin la fe, el
sacramento no dice nada ni habla de nada. Su-
cede lo que sucedía con el «tanque» sacramental. Sólo para quien tuvo una profunda vivencia
y con-vivencia con él es significativo y significa algo más que un simple tanque de aluminio.
Sólo para quien tiene fe, los ritos sagrados, los
momentos fuertes de la vida, se convierten en
vehículos misteriosos de la presencia de la gracia divina. De lo contrario, se transforman en
meras ceremonias vacías y mecánicas y, en el
fondo, ridículas.

En segundo lugar, el sacramento expresa la
fe. La fe no consiste, fundamentalmente, en una
adhesión a un credo de verdades teóricas sobre
Dios, el hombre, el mundo y la salvación. La fe,
antes que nada, es una actitud fundamental, no
reducible a ninguna otra actitud más fundamental, mediante la cual el hombre se abre y acoge
un elemento transcendente que se hace presen-

te dentro del mundo en cuanto Sentido último del mundo. Las religiones han llamado «Dios» o «Misterio» a ese elemento transcendente detectado en el interior del mundo. El sacramento constituye la forma más genuina de expresión dialogal con Dios. Esta expresión se articula en dos movimientos: por un lado está el hombre, quien a través de –y en– el sacramento se expresa ante Dios, lo venera, lo glorifica y le pide vida y perdón; por otro, está Dios, quien a través de –y en– el sacramento se expresa ante el hombre, dándole su cariño, vida y perdón. Si el sacramento no es expresión de fe, degenera en magia o en ritualismo; se diluye su dimensión simbólica.

En tercer lugar, el sacramento no sólo supone y expresa la fe, sino que también la alimenta. El hombre, al expresarse, se modifica a sí mismo y al mundo. Al encarnarse y objetivarse, elabora aquellos gestos y aquellas palabras que forman el alimento de su fe y de su religión: la religión es el conjunto de las expresiones históricas de la fe dentro de las posibilidades de una determinada cultura. La religión constituye un complejo simbólico que expresa y alimenta permanentemente la fe. El sacramento es el corazón de la religión, y la gracia su latir.

En cuarto lugar, el sacramento concretiza a la Iglesia universal en una determinada situación crucial de la vida, como son el nacimiento, la boda, el comer y el beber, la enfermedad, etc. Por eso carece de sentido el que alguien desee recibir un sacramento de la Iglesia si no tiene una religación y adhesión efectiva con esa Iglesia. La vivencia del sacramento particular, concretizador del sacramento universal de la Iglesia, exige una vivencia adecuada de ese sacramento universal de la Iglesia. Sólo así el sacramento deja de ser magia y asume su verdadera función simbólica.

Finalmente, el sacramento hace presente y encarna una triple dimensión simbólica. Es rememorativo: recuerda el pasado en el que irrumpió la experiencia de la gracia y la salvación; mantiene viva la memoria de la causa de toda liberación, Jesucristo y la historia de su misterio. Es conmemorativo: celebra una presencia, en el aquí y ahora, de la fe; la gracia se visibiliza en el rito y se comunica en la vida humana. Es, por fin, anticipador: anticipa el futuro en el presente, la vida eterna, la comunión con Dios y la convivencia con todos los justos.

Como se puede comprender, el sacramento de la fe exige una conversión permanente. Convertirse significa volverse constantemente hacia Dios y hacia Jesucristo. No sólo un volverse intelectual, sino práctico. Convertirse es buscar la presencia de Dios y de su gracia en todas las cosas y en cada situación de la vida; es vivir conforme a esa presencia exigente de Dios.

Quien así busca con fidelidad siempre encuentra la estrella en su camino. El lugar del encuentro comienza a convertirse en sagrado, el gesto se hace sacramental; se celebra con palabras y ceremonias el encuentro con lo Divino. Las señales que hacemos son expresivas de ese encuentro: son los sacramentos de la vida que festejan la vida de los sacramentos.

13.2. El momento dia-bólico en el sacramento

El sacramento puede desempeñar también una función diabólica de separar, escandalizar y conducir a desviaciones. El sacramento puede degradarse en sacramentalismo. Se celebra un sacramento, pero sin conversión. Se hacen signos figurativos de la presencia del Señor, pero sin la preparación del corazón. Los sacramentos se emplean para expresar la adhesión a una fe, pero resulta que esa fe es algo sin consecuencias prácticas, es pura ideología; no modifica la praxis de la vida. El cristianismo de la pequeña burguesía y de la clase media satisfecha se presenta, no raras veces, como puramente sacramentalista. Es una fe de una hora a la semana, con ocasión de la misa del domingo o de algunos momentos importantes de la vida, como un bautizo, una boda o un entierro. Se realizan ritos, pero no se vive una fe viva. En la vida concreta se viven valores opuestos a la fe: prosigue la explotación del hombre por el hombre, domina el ansia de acumular más y más.

En el universo sacramental se ha verificado una infiltración del espíritu capitalista. Hay personas que aprovechan cualquier ocasión para recibir un sacramento, con el deseo de acumular gracia. La preocupación principal no es el encuentro personal con el Señor, sino el acumular en términos cosistas, como si la gracia divina fuera una cosa que pudiese ser acumulada y coleccionada. El consumismo sacramental, sin la recta comprensión de la estructura dialogal del sacramento que supone siempre la conversión y la fe, ha invadido desastrosamente la mentalidad del catolicismo popular.

Todavía hay otro momento diabólico que invade el sacramento: el espíritu mágico. No se entiende el rito, ni se vive como expresión cultural de la fe, expresión que Cristo asume para hacerse presente y comunicar, mediante ella, su amor y su gracia («ex opere operato»), sino que se piensa erróneamente que el sacramento actúa por sí mismo en virtud de una fuerza misteriosa inherente a los mismos elementos sacramentales. Ya no es Cristo quien opera como causa, sino la ceremonia por sí misma. Es una interpretación y una vivencia mágica del sacramento. El respeto y el temor ante el rito sagrado no son expresión del temor y el respeto a la presencia del Señor, sino que expresan el miedo a no ejecutar correctamente los signos, atrayendo así la maldición en lugar de la bendición. La repetición del sacramento, como, por ejemplo, el del bautismo, se hace en función de una creencia mágica: el bautismo curará la enfermedad del niño. Y será bautizado tantas veces cuantas sea necesario para conjurar el peligro.

Los signos que concretan la victoria definitiva de la gracia en el mundo han sido entregados a los hombres. A pesar del pecado y la indignidad humanas, no dejan de visibilizar el sí indefectible que Dios pronunció en Jesucristo a todos los hombres. El individuo puede frustrar la eficacia del sacramento, pero, en su globalidad, garantizan aquí y ahora, en la historia, el triunfo de la gracia sobre el pecado. Al ser entregados a los hombres, los sacramentos pueden ser mal empleados, puede abusarse de ellos y transformarlos en signos de condenación.

Al igual que Jesucristo, inevitablemente participan de la ambigüedad de todo signo. Deben ser sim-bólicos de la salvación y de la gracia, pero pueden ser dia-bólicos de la perversión y de la condenación. Porque son sacramentos.

CONCLUSIÓN:

LA SACRAMENTOLOGÍA
EN PROPOSICIONES SINTÉTICAS

SI quisiéramos resumir en algunas proposiciones la estructura del universo sacramental, el resultado sería el siguiente:

1. El sacramento es, antes que nada, un modo de pensar. El pensamiento sacramental piensa la realidad, no como cosa, sino como símbolo. El símbolo surge del encuentro del hombre con el mundo. En ese encuentro, tanto el hombre como el mundo quedan modificados, se vuelven significativos.

2. El pensamiento sacramental, como modo característico de pensar, es universal; es decir, todo se puede transformar en sacramento, no sólo algunas cosas.

3. La estructura de la vida humana, en cuanto humana, es sacramental. Cuanto más se re-

laciona el hombre con las cosas del mundo
y con otros hombres, tanto más se abre a su
comprensión el abanico de la significación,
de lo simbólico y de lo sacramental.

4. Toda religión, cristiana o pagana, posee una
    estructura sacramental. La religión nace del
    encuentro del hombre con la divinidad. Ese
    encuentro es mediado y celebrado en el
    mundo, en una piedra, en una montaña, en
    una persona, etc. El medio de encuentro se
    vuelve sacramental. Esos objetos, personas
    o hechos históricos se vuelven sacramentos
    para todos los que hayan hecho una expe-
    riencia de Dios en contacto con ellos. La fe
    no crea el sacramento; crea en el hombre la
    óptica mediante la cual puede percibir la
    presencia de Dios en las cosas o en la histo-
    ria. Dios está siempre presente en ellas. El
    hombre no siempre se percata de ello. La fe
    le permite vislumbrar a Dios en el mundo,
    y entonces el mundo, con sus hechos y sus
    cosas, se transfigura, es más que mundo: es
    sacramento de Dios. Sólo pueden entender
    los sacramentos cristianos las personas que
    profesan la fe cristiana. Para los demás, el
    sacramento cristiano no deja de ser sacra-
    mento, pero no es percibido como tal. Para
    los no iniciados, el pan parece sólo pan; el
    agua, sólo agua. Para el cristiano, el pan es

más que pan, es el cuerpo de Cristo; el agua es más que lo que ven los ojos: es la visibilización de la purificación interior. Lo enseña claramente el Vaticano II: «Los sacramentos no solamente suponen la fe, sino que por medio de las palabras y las cosas la alimentan, la fortalecen y la expresan. Por eso son llamados sacramentos de la fe» (*Sacrosanctum Concilium,* n. 59).

5. Para la tradición judeo-cristiana, la historia es el lugar privilegiado del encuentro con Dios, es historia de salvación o de perdición. La historia de salvación que va desde Adán hasta el último elegido es considerada Sacramento y también Misterio.

6. Las fases de la historia son también llamadas sacramentos: los orígenes de Israel, el tiempo de los profetas, el tiempo de Cristo, el tiempo de la Iglesia y la eternidad en la gloria.

7. Jesucristo, punto culminante de la historia de la salvación, es llamado el Sacramento Primordial de Dios por excelencia.

8. Las fases de la historia de Cristo también son consideradas sacramentos: nacimiento, infancia, vida pública, pasión y resurrección.

9. La Iglesia, prolongación de Cristo, es lla-
    mada Sacramento Universal de Salvación.

10. Las fases del misterio de la Iglesia son
    igualmente denominadas Sacramento: Igle-
    sia de los orígenes, Iglesia de Israel, Iglesia
    de Cristo, Iglesia de la gloria.

11. Si toda la Iglesia es sacramento, entonces
    todo cuanto hay en la Iglesia y todo cuanto
    ella hace posee una estructura sacramental.
    La liturgia es sacramento; el servicio de ca-
    ridad es sacramento; el anuncio profético
    es sacramento; la vida concreta de los cris-
    tianos es sacramento...

12. Dentro del complejo sacramental de la Igle-
    sia, se destacan los siete sacramentos, que
    simbolizan la totalidad de la vida humana,
    basada en siete ejes fundamentales. En
    esos nudos vitales, el hombre se siente re-
    ferido a una fuerza que lo transciende y lo
    sustenta. Ve a Dios en ellos y ritualiza de
    manera especial esos momentos fuertes de
    la existencia.

13. Jesucristo es autor de los sacramentos en
    cuanto que él es la eficacia de todos los sa-
    cramentos cristianos y paganos. En un sen-
    tido más estricto, al querer la existencia de

la Iglesia, quiso también los sacramentos que concretan y detallan esa Iglesia en las diversas situaciones de la vida.

14. La expresión «*ex opere operato*» significa que la presencia infalible de la gracia en el mundo no depende de las disposiciones subjetivas del que administra o del que recibe el sacramento. Ella está presente en el rito sagrado y patentiza el hecho de fe de que, en Jesucristo, Dios pronunció un sí definitivo a los hombres. Ese sí de Dios no es puesto en entredicho por la indignidad humana; es definitivamente victorioso.

15. La presencia infalible de la gracia en el rito eclesial sólo se vuelve eficaz si el hombre está con el corazón abierto y preparado. El sacramento completo sólo se realiza en el encuentro de Dios que se dirige al hombre y del hombre que se dirige a Dios. El «*ex opere operato*» debe ir acompañado del «*non ponentibus obicem*». Sólo entonces sonríe la gracia de Dios en la vida del hombre.

16. En la Iglesia latina primitiva, la palabra «*sacramentum*» significaba originalmente esa conversión del hombre a Dios; significaba exactamente el compromiso sagrado de vivir coherentemente, de acuerdo con

las exigencias de la fe cristiana, hasta el martirio. Posteriormente, la palabra «*sacramentum*» fue usada para designar el rito que expresaba el compromiso cristiano con el mensaje liberador de Jesucristo en el bautismo, la eucaristía, el matrimonio, etc.

17. Todo signo puede transformarse en un antisigno. En todo sacramento existe, inevitablemente, un momento sim-bólico que une y evoca a Dios y a Jesucristo, y puede haber también un momento dia-bólico que aparta y separa de Dios y de Jesucristo. Sacramentalismo, consumismo sacramental y magia son degradaciones del sacramento. Traducen la dimensión dia-bólica.

18. El sacramento sólo es sacramento en el horizonte de la fe. La fe, que significa encuentro vital y acogida de Dios en la vida, expresa su encuentro con Dios a través de objetos, gestos, palabras, personas, etc. Las expresiones son los sacramentos. Éstos suponen la fe, expresan la fe y alimentan la fe. Puesto que la fe implica una conversión, el sacramento sólo es eficaz y se realiza plenamente en el mundo cuando expresa la conversión y lleva permanentemente a la conversión. Sacramento sin conversión es condenación. Sacramento con conversión es salvación.